萧乾 主编

新编文史笔记丛书

第三辑

28

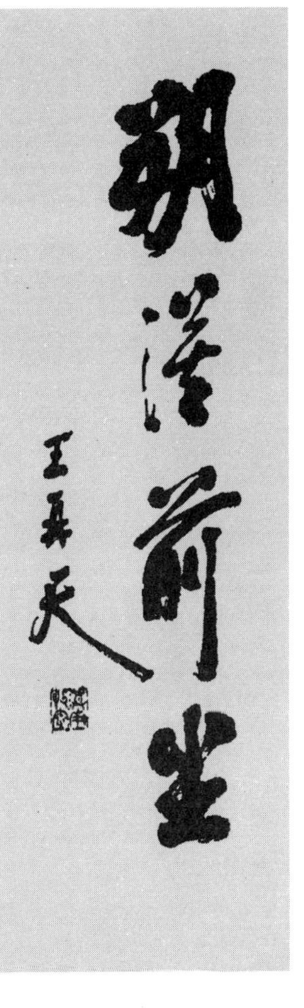

◎内蒙古自治区文史研究馆 编

●孔庆臻 耿鸿钧 李吉吾 主编

中華書局

目录

政海涟漪

戎马烟云

经济琐闻

科教鳞爪

艺苑折枝

人物春秋

采风问俗

异闻杂陈

新编文史笔记丛书

序

萧　乾

读书界向来对野史有所偏爱。野史大多是信手拈来的历史片断，且往往出自亲历者之手。文直事核，不虚美，不隐恶，而文笔潇洒自如，意味隽永，自然朴实，篇幅不长；可以摊开来仔细咀嚼，也可供茶余酒后、行旅倥偬中，随手浏览。

鲁迅在《华盖集》中，曾几次对野史表示过好感。在《忽然想到》一文中写道："历史上都写着中国的灵魂，指示着将来的命运，只因为涂饰太厚，废话太多，所以很不容易察出底细来。正如通过密叶投射在莓苔上面的月光，只看见点点碎影。但如看野史和杂记,可更容易了然了,因为他们究竟不必太摆史官的架子。"又在同书《这个与那个》一文中说:"野史和杂说自然也免不了有讹传,挟恩怨,但看往事却可以较分明,因为它究竟不像正史那样地装腔作势。"

全国文史研究馆所编的《新编文史笔记》丛书,内容也属野史杂说的范畴。我们希望这些以亲闻、亲见、亲历为主的轶事掌故、琐闻杂记,写人、事而摒除误会曲解,述历史而符合真实面目。

作为一种短隽有味,文字清奇而又雅俗共赏的文学体裁,笔记在中国具有悠久的传统。它始自魏晋,盛行于宋代。南朝刘义庆的《世说新语》,北宋沈括的《梦溪笔谈》,南宋陆游的《老学庵笔记》,明朝张岱的《陶庵梦忆》,清朝纪昀的《阅微草堂笔记》以及20世纪30年代初丰子恺的《缘缘堂随笔》,都是文学史上的奇葩。然而,近年来笔记乏人问津。因此,我们出这一套书,也包含着挽回颓势之意。

全国三十二所文史研究馆拥有雄厚的稿源,两千多位馆员和各馆联系的社会人士,都是丛书的撰稿人。他们都是文史界的耆宿,见多识广,阅历丰富:有的反对过帝制,有的在"五四"运动中扛过大旗,他们目睹过军阀的横行霸道,也经历过艰苦卓绝的八年抗战。这些历尽沧桑的饱学之士,他们的所见所闻,都是弥足珍贵的史料。

本丛书分辑出版，分别由各地文史研究馆编辑，内容亦以本乡本土为主。因此，各册势必具有浓厚的地方色彩。

本着笔记固有的传统，所收各文题材不嫌庞杂。举凡与文史有关的政治、经济、军事、文化、社会等方面，或记闻见杂事，或叙往昔交游，或忆社会百态，均在搜罗之列。时间跨度则自清末以迄1949年为止。这正是中华民族从闭关自守到走向世界，从落后羸弱到奋发图强，是天翻地覆、风起云涌的大半个世纪。其间，发生过多少可歌可泣的事迹，涌现过多少杰出的人物。以这一时间跨度为背景题材写出的笔记作品，必然是内容最为丰厚的。

在选稿标准上，我们坚持史料一定要真，内容要新；既要防止以讹传讹，也力避炒冷饭。在写法上务求短小精悍、生动活泼。每篇以千字为度，希望借此在文风方面，提倡一下简约。在版式上，则想做到既利于阅读，又便于携带。

恳切希望文史界方家及广大读者，不吝赐正。

“悉尼喇嘛”与“独贵龙”运动

加痕其其格

“悉尼喇嘛”，名乌力吉吉尔格勒(1866—1929)，他家是世袭奴隶，十五岁时在乌审旗王府服徭役五年。他生性聪慧，自学识字，并练得一手好字。二十五岁时当上了王府的“笔帖式”(即文书)，因才华出众晋为“京肯笔帖式”，得到了参与王府政事的机会。由此他更了解到封建统治阶级的黑暗残暴，王府内的腐败，如向北京、西安官府进献银两，出卖土地，卖官卖爵，横征暴敛，榨取人民血汗的罪恶勾当……因而更痛恨王公、贪官。

1898年,他辞职当了喇嘛。他这个喇嘛既没进庙,也没拜师,自起教名札木桑,并自称“悉尼喇嘛”(即新喇嘛),实际上是借喇嘛之名,掩护他搞“独贵龙”运动。从此,人们都以“悉尼喇嘛”代替了他的真名。

“独贵龙”运动,是自1866年以来,伊克昭人民进行反帝、反封建斗争的一种形式。“独贵”在蒙语中是圆的意思,是以圆代表团结,团结广大人民反对统治阶级,向压迫剥削人民的敌人作斗争。以小组安答(即盟兄弟)为核心,开展活动。小组的成员多少不等,开会时坐成圆圈,所立公约誓言与呈递文件,都是以圆圈形式签名。这样做,一方面表示成员之间是平等团结一致对敌的,另一方面一旦敌人发现这些文件也找不到谁是领头人。

1912年,“悉尼喇嘛”总结父辈们领导“独贵龙”运动的经验教训,再次在乌审旗组织起十一个“独贵龙”,分七十个“安答”。内蒙古博物馆现收藏保存了当年“悉尼喇嘛”领导的“独贵龙”运动的签名单。这份圆圈式的签名,是一百四十个人的名字,中间是公约。签名外圈是誓言:“当此危险之际,为了保护各个地区的安全起见,我们诚心诚意地聚会,绝不违背公约,特此保证。”

此后的五年间,“悉尼喇嘛”带领“独贵龙”群众逐王爷,除福晋,使该旗蒙古王公和封建特权制度遭到空前打击。1924年,“悉尼喇嘛”曾赴蒙古人民共和国考察,加入了蒙古人民革命党。

1925年10月,回国参加内蒙古人民革命党第一次代表大会,当选为中央执行委员。此后,在短短的二三年中,发展党员七百余名,成立了十七个支部;并建立起一支人民革命武装——内蒙古人民革命军第十二团,"悉尼喇嘛"任团长,领导乌审旗人民一度推翻了封建王公政权,建立了人民革命政权——公众委员会。1929年2月11日,"悉尼喇嘛"被叛徒出卖,被捕处死,群龙无首,"独贵龙"斗争终于失败了。

蒙汉民众严惩"老洋魔"

程宝萍

"老洋魔"是谁?他是清末民初天主教在土右旗二十四顷地主教府的主教韩默理,荷兰国籍,曾加入比利时国圣母圣心会,为该会元老之一。他于1865年12月到达内蒙古,曾在东蒙古传教,1878年任甘肃主教,1889年任西南蒙古主教。他借传教名义大搞殖民侵略活动,恶迹昭著。

1900年春,"老洋魔"指使二十四顷地教堂传教先生石宗、会长任喜才等率教徒强占兴义楼村蒙民高家土地,强行耕种。当蒙汉民众反抗时,教会纠集武装血洗兴义楼,高占年等九人被惨杀,房屋被烧毁。凶犯们为消灭罪迹,将九具

尸体装入麻袋，投入黄河，然后躲进主教府，逍遥法外。

到6月10日，萨拉齐、托克托一带蒙汉民众被教士暴行激怒，群情激愤，自发包围了二十四顷地主教府，要替死难同胞雪恨，找“老洋魔”算账，逐渐形成了“有拳民数千，官兵二百”的大包围圈，经过几次战斗，民众以刀矛对洋枪，义和团伤亡很大。6月23日，教会武装对居间防范待命的官兵施放洋枪，击伤一军官。此举激起兵民共愤，他们蜂拥而上，向教会武装发起总攻。次日攻破主教府，焚毁教堂，杀死教徒数百名。“老洋魔”韩默理及石宗等凶犯被活捉，“即交托城通判李恕带回，归案讯办”，“以结杀死九命一案”。在押解凶犯赴托县途中，义和团民众与参加攻打主教府的官兵共庆胜利，给韩默理背上插一小旗，上书“老洋魔”三字，拽之游街示众。四方来观者，稠密如织，或唾骂，或击以矛，纷纷发泄积年受教士欺压之根。最后在托县处决了韩默理、石宗等凶犯，狠狠打击了教会反动势力，大长了民众反帝斗争的志气。

听美国副总统费氏演说

朱若云

1909年(清宣统元年)7月15日上午，美利坚合众国副总统费雅邦氏，偕同美使署参赞丁家立来宗室觉罗八旗高等学堂参观。文监督、崇提调，志、常二监学及英文教习凌子平等，衣冠齐楚，补服朝珠，隆重接待。学生则排列两行，自稽查处直排至监督堂前。庶务处前则有本校军乐队，所有学生均穿操衣，以示齐整。

费氏入校，军乐大作。二门里排列之学生行立正举手礼。费氏、丁氏脱帽致敬，入监督堂少憩，即入由操棚所改之讲堂演说。费氏之演说曰：

“此次来华非为汗漫游历，专为考查中国已往之陈迹、现在之情形与将来之趋势。今世界大势所趋，已无不立宪国家存立之地，中国将来必须立宪无疑。惟现在当预备立宪之时，全在诸青年国民实行预备。而实行预备之法，则根本在于学堂。故在学诸君，一方面为求学之学生，一方面即为实行预备立宪之国民，当有所担任也。”他接着说：“求学之道贵智育，尤贵德育。有知识而无道德，则所学者惟知为己，不知爱群。知识虽高，于国家天下毫无所益。盖世界愈进化愈竞争，愈竞争则人民愈接近，愈亲密。一国国民，不止对其本国有关系有责任也，诸君勉之。”

美使署参赞丁家立接下来演说，略曰：“吾在中国二十余年，深悉中国情形。诸君求学不可重蹈前日科举之弊。昔日之为学者，不在学问，而在科举，功名已得则不复问学问为何事。今则变科举为学堂，则诸君所求者不可专在文凭，宜

重求学问。如果无真实学问,文凭之有无何足齿及。且中国近年办学务者亦专务虚不务实,大半以为只在正人心,不必求艺术。不知树木有根本,仍须有枝叶,根本枝叶缺一不可。若学问专求体面不求用,亦无所用之。中国人民之聪明才力,虽优于西人,而于利用厚生之道则逊于西人,因常为西人所讪笑也。办学务者,不求实用,学生又志在文凭,则国家岁縻巨款,将安用之?以其于国家无益也。”

继由文伯英监督代表致谢,略谓:“将来率同诸生必按两君所教实力奉行,并祝大美国旗飞扬于西半球,黄龙旗飞扬于东半球,东西相映以保持世界和平。”演讲毕,退堂、摄影而去,闻次日出京云。

7月20日招考赴美留学生,报考者达五百余名。先试中文一篇,题曰“学然后知不足”。后又考试地理三问,史学三问。21日考英文一篇,题目五个。25日发榜,八旗学堂所送十二名均落第。

余父,讳谟多,时在八旗高等学堂就学,亲聆费氏、丁氏演讲。上述文字见于所遗笔记中。

袁世凯召海山回国

吴 白

海山(1857—1917),字瀛洲,蒙名松彦可汗。

内蒙古喀喇沁旗人。兄弟三人,他排行第三。少年时从师课读十四年,通蒙、汉、满文。曾出任本旗管旗梅林。金丹道教起义时,参与镇压,为此与当地豪绅张华堂发生嫌隙受控, 被加罪撤去梅林之职。随即带领全家奔往外蒙。

1911 年外蒙宗教领袖哲布尊丹巴, 独立称帝,正延揽人才。海山参见了哲布尊丹巴,被任为内务部司官。在任期间,海山曾出使俄国,觐见了俄国皇帝,亦很受重视,俄皇赠给他狮皮褥子和赏金。从此海山在外蒙的威望益高。

外蒙兵部司官陶克陶,亦内蒙人氏,欲讨好海山,企图共同左右外蒙政局。曾有王公提议将陶克陶之女嫁与海山之子,海山信口说出“虎子焉能娶犬女”,以致二人发生龃龉,矛盾日深。其时,袁世凯任总统,几次派人了解海山情况,驻外蒙大员陈箓探悉海山有内向意愿。陶克陶有所风闻,便向哲布尊丹巴密告海山私通中国。于是海山被捕,家被抄。因无证据,关押三个月后释放。海山出狱后,深感处境困难。那时袁世凯通过蒙藏院总裁贡桑诺尔布致书内外蒙及前后藏,劝他们归附民国,同造共和。海山闻知,回国之心更加坚定。袁世凯又暗遣喀喇沁希公爷专程去外蒙进行劝说,海山乃回到北京。袁世凯亲自接见,慰勉有加,赐封贝子爵位,并赠与府第。

海山在外蒙时,即开始蒙译《五方元音》一书;回到北京后,继续翻译。于民国六年(1917)春译成。同年病逝。

袁世凯召见锡盟王公

宋 英

1914年，我曾以东苏尼特旗王爷翻译的身份随同王爷和锡盟各旗王公到北京去见袁世凯，亲历在此过程中的一切活动。

民国初年，外蒙哲布尊丹巴活佛宣布独立，派兵南下攻打百灵庙与滂江时，锡盟十个旗的王公未敢公开响应。袁世凯为了使锡盟王公内附，特于1914年初，邀请锡盟各旗王公进京襄赞共和，并欢度春节。各王公不明真相，多不敢去张家口报到。袁乃派在辛亥年镇压绥远革命的京畿第一旗统领李星阁带兵分头去"请"，并在沿途"护送"。东苏尼特旗王爷到张家口后，住在与本旗素有商业来往的商号天泰德。我当时在该商号学生意。当北京派官员催促各旗王公起程的时候，东苏尼特王爷疑虑未消，叫商号派一个随从一起前去，必要时给旗下通风报信。天泰德掌柜就让我去给他当翻译。

春节前几天，锡盟各旗王爷一行三十多人，乘坐布置华丽的专车，离开张家口前去北京，察哈尔特别区都统到站欢送。专车抵达西直门车站时，站台上高搭彩棚，有好多官员在军乐声中前来欢迎。然后用大马车将大家送到东四牌楼附近的帽儿胡同一座府邸作为安置王公的临时宾馆。第二天王公们去安定门大街蒙藏院拜见了时任蒙藏院总裁的贡桑诺尔布王爷，贡王代表袁世凯向众人说了一番大总统维护王公制度和王公们应当拥护大总统一类的话。从此各王爷在宾馆安心住下，每顿饭都是八盘八碗的高等酒席，特别是春节那几日，酒席尤其丰盛。

元宵节这天，贡王率领众人去铁狮子胡同晋见袁大总统，走到客厅前边，袁世凯穿着大礼服出来迎接。大家鞠躬落座以后，侍从人员给每人倒了一碗茶，谁也没敢端起来喝，都呆若木鸡，局促不安地坐在软椅上。贡王给袁担任翻译，袁世凯问了牛羊水草的情况。贡王说了一派王公拥护共和的冠冕堂皇的话，不到五六分钟辞出。袁世凯此次接见锡盟王公，不仅晋封了爵位，允许王公世袭，还赏赐了王公每人银元一千二百元，福晋(夫人)每人八百元，随员每人五百元，交蒙藏院拨发，但没全数到手。

在京时王公们游览古迹名胜，还出席各政党宴会。这些政党都想把蒙旗上层人物拉到自己党内，因此王公们今天参加了“共和党”，明天又参加了“进步党”。其实他们根本谈不上什么政治主张，所担心的只是怕被袁世凯扣在北京不让回旗，怕取消王公世袭制度。所以谁请吃饭他们都去，谁叫入党就入党，不管见了哪一方面的人，总是说“共和好”。这样住到阴历三月，大

家感到天气燥热，又不服水土，这时内外蒙边境也已平静，王公们便递上“告假”条子。袁世凯又给王公们晋封了爵位，用专车送到了张家口。

宋小濂谈判挫沙俄

涂学军

宋小濂，字友梅，原籍吉林，清末民初人。他曾任漠河金厂文书十年，后为黑龙江将军程德全幕僚，不到三年便被提升为秩监司长官。修筑东清铁路后，中国在哈尔滨设铁路交涉总局，宋任总办。当时中俄所订展地、伐木、采煤合同使中国主权受到侵犯，宋一一抗争。历时两年，经过一百四十余次谈判，终于废弃前约。先后改订上述三项合同，挽回很多主权。光绪三十三年(1907)十月，宋任呼伦贝尔副都统，后改任呼伦贝尔兵备道员。他整顿重设二十一座边防卡伦，创办学校，设置警察，清理税制，四出巡视，抚慰地方，为呼伦贝尔地方的安定发展和民族团结做了很多有益的工作。尤其是他看到自雍正五年(1727)后近二百年来中俄边界再未勘查，鄂博卡伦大多废弛，便上书东三省总督，建议同俄国重勘塔尔巴干达呼山至额尔古纳河陆路边界鄂博，确定额尔古纳河水路界线。

宣统二年(1910)四月，宋担任中方勘界专

员，同俄国副参领茹达诺夫会于胪滨(今满洲里西大桥南)谈判边界事宜，他跋山涉水，亲自勘查。在勘界中，俄方施展手法，欲将满洲里车站及我境大片领土划归俄方，并调军队越界开炮，肆意恫吓。宋小濂在谈判中“援据条约，考验地理”，陈说边界鄂博，使俄方代表“默然无词”。面对俄方欲将满洲里划入俄境的企图，宋慷慨陈词指出：满洲里为中国领土，实有八证：(一)中俄现行各地图所画国界，皆在满洲里之北；(二)金源边堡、霍尔津河本在国界之南，满洲里在金源边堡、霍尔津河之南；(三)满洲里，中国本无此名，自俄人承修中东铁路，此处为入中国首站，俄人名之曰满洲里，世界各国皆已公认；(四)满洲里线路、车站用地，由俄国政府价购，订有合同；(五)满洲里设有中国铁路交涉分局；(六)满洲里中国税关，系中俄按照东清铁路合同，两头交界各设税关条款，议定设立；(七)满洲里由中国开作商埠；(八)满洲里车站西南，中国已设胪滨府治。凡此各节证据俱在，岂得任意更改!宋小濂在勘界中维护祖国尊严，保护祖国权益，其行可嘉，史册应刊其名。

张作霖的敲门砖

博·温都尔涅夫

科尔沁左翼中旗的达尔罕亲王那木济勒色楞和张作霖父子的关系，渊源甚久，至为密切。

民国以后，以张作霖为代表的奉系军阀，一直控制着东北地区(包括东蒙在内)。张作霖为了对外防止帝国主义势力的渗入，对内巩固封建割据式的统治，便看中了科尔沁左翼中旗这块肥肉。这里地域辽阔，资源丰富，可攫取的土地、物资、矿产资源甚多。这里处于东北腹地，又介于吉林、奉天(今辽宁)与热河之间，战略地位十分重要。特别是达尔罕亲王在东部蒙旗王公中有很大的影响，对维系奉系军阀与各旗王公的联系、稳定东蒙局面均有重要作用。因此，张作霖甚为重视那木济勒色楞，并想方设法拉拢他。早在民国初年，张作霖即与那木济勒色楞结为盟兄弟。以后张作霖又将自己的女儿许与那木济勒色楞之子，成为儿女亲家。1925年，又经张作霖作伐，朱博儒成为达尔罕王的福晋。这既是张作霖与那木济勒色楞之间的联系纽带，更成为张作霖打开科尔沁草原的敲门砖。而那木济勒色楞也需要靠山，需要军阀的支持，以巩固其在旗内的统治地位。

朱博儒(满族)是曾任清廷要职的朱恩古之女,毕业于北京高等学堂,风度文雅,仪态端庄。她来到科尔沁草原之后,对那木济勒色楞产生很大影响。达尔罕王对这位福晋极为尊重信任,直至言听计从。朱博儒不仅为那木济勒色楞对外联系应酬,甚而常常左右旗内的政务。

张作霖的良苦用心,收到了预想的效果:科尔沁草原的壁垒被打开了。

历史上的旗县并存蒙汉分治

谢守安

民国时期,绥远地区在同一地域内,设有旗和县双重政权,旗管蒙古族,县管汉族,实行蒙汉分治。这种特殊政权制度,始于清代初年,民国沿袭。

据《绥远通志稿》所载:“明中叶以后,自察哈尔以西至河套西界,自边墙以内至于漠南,尽为元裔达延汗之子所分据。”此即绥远地区的范围。及至满族崛起,渐次征服蒙古各部。底定土默特部后,将该部编为二旗,以其部长为左右翼都统。此为绥远地区改蒙古各部建立旗制之肇始。其后,鄂尔多斯及阴山以北蒙古各部,也都相继归附。清王朝平定全国后,按照八旗制度的组织原则,在蒙古原有社会制度的基础上,根据

各部所辖土地多少,人口众寡,渐次划分牧地,改部为旗,由清政府就旗内蒙古王公封任札萨克掌旗。还根据地域合数旗为一盟。历经演变,迨至解放前,绥远境内共辖有伊克昭、乌兰察布二盟十三旗、土默特特别旗以及察哈尔右翼四旗。

绥远各蒙旗,经清初顺治、康熙各朝的治理,逐渐安定繁荣。内地往来的商人,春来秋归的农民,也都由流动而渐近于定居,由单身而渐成家室。及至雍正、乾隆之际,有的旗已成为农牧并营、蒙汉杂居的地方。起初出塞汉民,均被治于所在之旗。后来清政府鉴于农商益众,民事日繁,并且在让农商向蒙旗租地的同时,还应对清廷负担一切义务,乃设厅置道,专管汉回等民族事务,蒙旗只管蒙民事务。自此旗厅权限分治,旗厅并存的特殊情况开始形成。从雍正元年(1723),于土默特境内设立归化理事厅同知开始,历经乾隆以后各朝,在各蒙旗境内,随着垦地日广,农商日增的情况,以及厅制的演变,最后形成了归绥道十二厅,确定了旗厅并存,蒙汉分治的政权制度。

民国建立后,依然沿袭清制,只是改厅为县、旗厅并存成为旗县并存。而且陆续有所变动和发展。绥远地区改建为绥远特别行政区,再改为绥远省,又进而从已建县境和各蒙旗境内增辟设治局,再升格为县或增辟为县的变相组织如组训处、办事处等。到 1949 年,绥远省辖有二市、二盟、四专区、二十二县、十八旗、一镇、一办事处、一组训处。其中不少地区旗县穿插，政权并存，蒙汉分治。原土默特境内设有七县二市一旗，这些县市境内蒙民悉归土默特旗管理，汉民归各县市管理。

解放后，人民政府本着“承认历史，照顾现实，解决问题，达到团结”的方针，对各旗县行政区划经过几年调整，结束了同一地域旗县双重政权并存，蒙汉分治的局面，出现了新型的社会主义民族关系和统一的政权体制。

一张珍贵的历史照片

王晓华

在内蒙古博物馆革命文物陈列室中，展出的“1923年北京蒙藏学校土默特学生与教师合影”的大幅照片，是迄今为止搜集到的内蒙古革命前辈们最早的一张照片。当时，中共北方党组织负责人李大钊、邓中夏、赵世炎，向蒙族青年学生传播马列主义。在他们的培养下，一批蒙族青年先进分子先后加入中国社会主义青年团和中国共产党。这张照片，正是在这一时期拍的。

这一张照片，我是在1960年访问奎璧书记时，在他家珍藏的像册中发现的。奎老对我说：“我们就是在拍这张照片的1923年冬，加入中

国社会主义青年团的。"奎老将照片上的人,一一指给我看,并作简短介绍。

照片前排左起,二是多松年、五是乌兰夫、六是云润、七是孟纯、九是朱实夫;二排右起,一是吉雅泰;三排左起,五是奎璧、六是赵诚;后排左起,四是高布泽博、五是康根成、六是佛鼎、七是康富成、九是荣耀先。

我如获巨宝，立即将照片拿回内蒙古博物馆进行翻拍放大，又很郑重地将原照片和放大照片,用相册粘贴好,敬还给了奎老。

我拿着这张照片，分别走访了乌兰夫书记等革命老前辈。他们看了照片,都说:"这是一张很有历史价值的照片,奎老能保存下来,很不简单。"乌老兴奋地回忆说:"荣耀先办了一件大好事,就是他在 1923 年夏从土默特领了四五十个青年学生到北京上了蒙藏学校。1923 年寒假大家围着火炉子，谈论加入中国社会主义青年团的问题。当年冬天入的团,1924 年加入了中国共产党，成立了蒙古民族第一个党支部。所以我说,北京蒙藏学校,是内蒙古革命的发源地。"

御僧亿定坐班房

高也彭

同治皇帝的替身僧亿定和尚，系河北省正

定县隆兴寺的方丈。

隆兴寺始建于隋开皇六年，初名龙藏寺。到清朝康熙四十八年重修后更名为隆兴寺，现为国家重点保护寺院之一。

亿定以御僧之尊，西太后赠玉欢喜佛珍品为镇寺之宝，皇上赐半朝銮驾。他出门时的仪仗金瓜、钺斧、朝天镫，前呼后拥，威风十足。民国以来，虽然废掉了銮驾之威，但他凭借寺产的豪富，结交官府与地方豪绅，依然赫赫一方。他不守佛门的清规戒律，不仅整天酒肉熏腾，而且奸淫妇女、私刑佃户、包揽词讼、鱼肉乡民，是个十恶不赦的恶霸！

1924年，冯玉祥部国民三军第三混成旅，驻防正定。旅参谋长张兆丰(系共产党员，亦是正定建党的奠基人)深知亿定的罪恶，每每想惩治这个恶僧，但限于军人不能干预地方行政，无法下手。事亦凑巧，藁城县高庄村一个村民宋喜成，因事到正定，进城后将骡马拴在隆兴寺门口一棵槐树上歇脚。骡子不驯顺，踢伤了驻在寺内的一位排长。宋喜成慌了手脚，去托亿定和尚给部队说情。其实部队并没有把此事看作如何了不起，而和尚却假借军队名义要宋家赔偿养伤费八百元。宋喜成认为八百元索价太高，另求正定绅董高某去旅部说情。这一来，暴露了和尚从中敲诈的行为。参谋长张兆丰立即派人逮捕了亿定，交军法处审讯，结果以“借假军队名义敲诈平民，损害军誉”等罪名判处枪决。这一来轰动

了正定县，平日与和尚交好的豪绅们，纷纷联名具保，要军队开释和尚。张参谋长坚定地告诉大家不要多事，要为地方除此一害。这帮豪绅，见保释无效，另走旅长李纪才的门路。李纪才推脱不过，命令军法处将此案移交地方司法机关审理。参谋长扭不过旅长，只好照办。移案时张参谋长亲手拟稿，其中有“勿瞻情面，严加重办”等词句。县司法科将和尚扣押数月，直到军队移防才开释。从此，御僧亿定威风扫地。

石拐煤矿的第一次罢工

李济祯

1925 年震惊中外的“五卅”运动爆发后，李裕智同志根据李大钊等中共北方区委负责人的指示，从北平回到归绥。同年 9 月，包头建党后，他担任了中共包头工委书记。在此期间，李裕智同志深入石拐矿区，发动组织了第一次矿区工人罢工。

石拐矿区位于包头市东北的大青山之中，当时有一千多名工人。矿工在矿主的残酷剥削压迫下，过着牛马不如的生活。

1925 年 9 月，李裕智来到了石拐矿，白天坚持和工人们一齐在井下挖煤，夜晚，走访工友，了解工人们的生活及矿主对他们欺压的情况，启发工人们的觉悟。经过艰苦细致的工作，终于将一部分工人组织起来。九月下旬，举行了绥远地区空前的第一次罢工。

工人们手持铁镐，肩扛钢钎，从四面八方涌向矿主的住处。他们高喊着口号，要矿主出来答应工人的一切条件，不答应不复工。起初两天，矿主满不在乎，到第五天就着急了，派他的心腹要求找工人总代表谈判。李裕智和工人们商量再坚持两天，对矿主派来的人说，总代表到外地去了，等回来后再谈。这下子矿主更慌了，出面央求工人们新选代表与他谈判。到罢工的第七天傍晚，矿主完全软下来了。这时，李裕智才和工人代表出面同矿主谈判。矿主不得已，全部答应了工人们的要求。罢工得到了彻底的胜利。

通过这次罢工，更激发了工人们以斗争求得自身解放的阶级觉悟，认识到团结战斗的力量，一支有组织、有觉悟的工人队伍在石拐矿逐渐发展壮大起来。

《蒙古农民》

王晓华

乌兰夫、奎璧等人在北京蒙藏学校求学，在李大钊的亲切关怀指导下，进行革命活动，创办了《蒙古农民》。他们在刊物中发表文章揭露北洋军阀和封建王公压迫剥削劳动人民的罪行，反对帝国主义侵略，批判大汉族主义……当时散发面很广，影响很大。建国后，有关部门广泛征集革命文物，但一直未能找到它。

到了80年代初，中央档案馆在整理档案时，偶然发现了两本《蒙古农民》小册子。此事曾在《民族团结》杂志上以《我国少数民族斗争史第一个马列主义刊物》为题发表文章介绍。我们闻之当即到中央档案馆翻拍复印了此刊，充实了内蒙古革命文物的陈列。

这第一期《蒙古农民》，在民国十四年(1925)4月28日出版。首页大书口号："蒙古农民的仇人是军阀、帝国主义、王公。"扉页画的是：手拿锄头的蒙古劳动人民，身背"军阀、王公、外力、租税"。文章有：《为什么出这个报?》、《直奉打仗内蒙古农民遭殃》、《可怜的王公的奴才的谈话》、《外蒙情形的开篇话》、《蒙古曲》、《悬赏征文》、《喇嘛应当娶媳妇》等。

第二期，扉页画的是："军阀持刀站在农民身上。"文章有：《听差的讲演录》、《不早醒悟受罪的日子在后头呢!》、《佛神并不灵》、《蒙古曲》、《靠租银生活的蒙古人赶快自己也种地吧!》、《吴佩孚不是好人》、《外蒙古的情形》等。

《蒙古农民》每隔七天出版一期，每期十六页。每份定价铜元两枚，农民减半。刊物上还注明下列文字："通信处北京蒙藏学校奎璧收转。"

是谁押解王若飞赴太原

张维玉

1931年,王若飞同志在包头不幸被捕,随即转到归绥市绥远省第一模范监狱关押。1936年,阎锡山密令当时绥远省主席傅作义,将王若飞押往太原陆军监狱关押。

王若飞在绥远第一监狱关押期间,曾向傅作义写了抗日意见书,傅阅后十分感动,特指示当时的典狱长韩渐逵给予特殊照顾:可以看书写字。当王若飞得知要将他押往太原阎锡山的监狱时,立即通过关系指示地下党查明调监的目的。地下党当时最担心的是在押送途中出现意外事故。因此便设法物色比较合适的押送人员,经过多方努力,终于找到了当时任绥远第一监狱秘书股长的任子华。

任子华续妻的娘家住在土左旗,娶的是云丽文的亲二姑。当时云丽文还未与乌兰夫结婚,正住在她二姑家。乌兰夫也正利用土旗老乡的关系躲在任子华家,并通过任和王若飞取得联系。

听说要将王若飞押往太原的消息后,乌兰夫让任摸一下内情。任首先找我父亲打听。我父张钦当时任绥远省地政研究委员会主任,便又找

与我父私交较好的当时任建设厅厅长的冯曦。冯受我父之托找了傅作义，打听到太原方面没有十分的恶意。由于王若飞是中共中央高级领导，红军长征到陕北已近一年，阎锡山想以此作为和中共谈判或交换的筹码。经我父多方周旋，并亲自找了典狱长韩渐逵，终于促成由监狱的秘书股长任子华顺利地将王若飞安全送到太原。

毛主席会见蒙古族普通一兵

杨勤生 文　钟志祥 整理

1936年冬天，我带领蒙古游击队一个排护送毛泽民、罗迈(李维汉)同志从定边到中央所在地保安。到后第二天，毛泽民同志告诉我们："毛主席要接见你们的代表。"大家经过研究，推选我和蒙古族战士巴音尔去。巴音尔是个孤儿，参军前是乌审旗王爷的奴隶。我们党在伊克昭盟开辟工作，他参加了蒙古游击队，成为一名坚强的骨干。

这天夜里，我们高兴得翻来覆去睡不着觉，好不容易才盼到了天明。早饭后，毛泽民同志领着我和巴音尔，到了毛主席住的窑洞。过去，无数次地听到和谈到毛主席，现在亲眼见到了。他高高的个子，一头浓密的黑发留得很长，面容瘦削，鼻梁很高，颧骨突出，双眼炯炯有神。他住的两间窑洞，四壁挂有许多地图。床是用门板搭成的，惟一的高级品是一顶蚊帐。正如斯诺在《西行漫记》中所说的，他“做了十年红军领袖，千百次地没收了地主、官僚和税吏的财产，他所有的财物却依然是一卷铺盖，几件随身衣物”。

毛主席和蔼可亲，微笑着和我们握手。他对巴音尔说，蒙古民族，是个了不起的民族，出了成吉思汗那样的天之骄子，现在又有许多抗日的英雄。当然，蒙古人里也有李守信那样的坏人，汉族里也出了汪精卫、蒋介石嘛!汉蒙人民才是一家人!

接着，毛主席向我们询问内蒙古人民的情况和我们游击队的工作。我和巴音尔向主席一一作了汇报。毛主席听得非常认真、耐心。当我汇报到游击队一共有八名蒙古族战士时，主席亲切地说：“你这个娃娃，在少数民族地区工作，一定要懂得当地的风俗习惯，要加强蒙汉民族的团结。你们要多动员蒙古族青年参加红军，为蒙古族人民培养革命骨干。”主席对我们讲了关于宣传群众、组织群众、武装群众的道理，并告诫我们一定要多关心牧民的疾苦。他还说，蒙古族人民受压迫比汉族人民还重，他们是要革命，要跟共产党走的。毛主席的这些教诲，像一盏明灯照亮了我们的心头。

巴音尔见到了毛主席后，回到游击队工作得更出色了。据我所知，他是蒙古族战士中最先见到毛主席的。后来，他被选送到延安学习去了。

奇丕章其人

冯 峰

奇丕章，蒙古贵族出身，1911 年 8 月 29 日出生于内蒙古伊克昭盟准格尔旗东孔兑乡何家塔村。青年时期，他曾被德穆楚克栋鲁普(德王)派送日本陆军士官学校就读。1936 年，德王组建“内蒙军政府”，将奇丕章召回任“骑六师”师长。当时，奇不愿投效日伪，旋即弃职再次赴日，入东京政法大学攻读。“七七”事变爆发，奇返国回乡，意欲赴大后方参加抗日工作。1938 年秋，准格尔旗东协理兼保安司令奇文英，委托他去重庆为该旗筹办教育事宜，他欣然应允。行前，曾专程拜见阎锡山和傅作义，请他们向国民党政府首脑机关介绍，阎、傅答应以函电报告。

1939 年，奇丕章抵达重庆，国民党军事委员会即委任他为该会少将参议，派他赴第八战区副司令长官部负责对日伪人员的招抚工作。奇拒任参议一职，请求委以军事专员，但未得到当局允诺。奇滞留重庆，无所事事，满腹怨言。他漫骂当局不顾抗日大局，互相倾轧，腐败无能，还扬言要去延安另寻出路。1940 年 11 月 9 日，当局将其扣捕，以“曾谈说共产党与汉奸言论”的罪名，押送贵州息烽集中营，与罗世文、车耀先、韩子栋、李任夫等政治犯关在一起。奇在押期间，戴笠曾亲自找他谈话，劝他如答应为组织(指军统)秘密办事，可立即开释。奇以“学浅能微，个性粗直，恐有负所望”为由，加以拒绝。据与奇同处息烽狱中的难友称：奇丕章曾一再表示，因身陷囹圄，不能实现抗日救国之志，为生平遗憾。

1949年初，奇丕章为了乞求自由，曾向当局写了一份《反省书》。《反省书》极力讨好当权者，声言，他要“誓为反共灭共剿共而奋斗”。尽管如此，国民党当局依然于1949年11月27日将他杀害于重庆中美合作所。

延安迎祭成吉思汗灵柩

肖　宗　李淑章

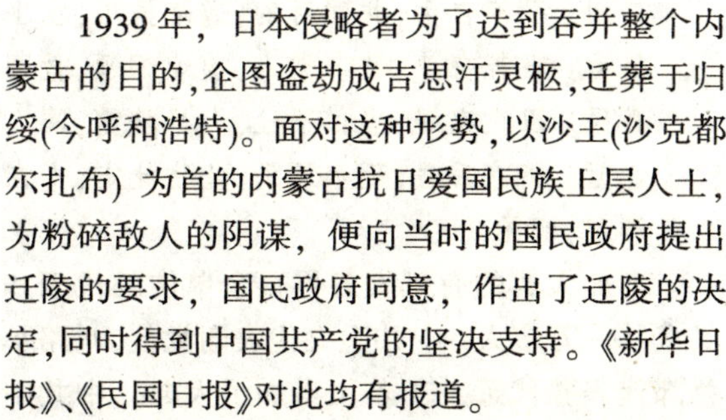

1939年，日本侵略者为了达到吞并整个内蒙古的目的，企图盗劫成吉思汗灵柩，迁葬于归绥(今呼和浩特)。面对这种形势，以沙王(沙克都尔扎布)为首的内蒙古抗日爱国民族上层人士，为粉碎敌人的阴谋，便向当时的国民政府提出迁陵的要求，国民政府同意，作出了迁陵的决定，同时得到中国共产党的坚决支持。《新华日报》、《民国日报》对此均有报道。

1939年6月21日，成吉思汗灵柩途经延安。护灵队伍颇为壮观:走在最前面的是蒙古族骑兵,接着是军乐队,后面是骑马列队的守护灵柩的达尔哈特蒙古人,还有许多僧人送行。在僧众之后,有一人乘马,手持成吉思汗遗剑,缓缓而行。最后便是成吉思汗及其夫人的灵柩。成吉思汗灵柩为银棺,用红、黄缎子裹着,由两头骡子驮定。在灵柩后面,紧随着奉命亲赴甘肃安放灵柩的各级护陵官员,其中有邓宝珊、楚明善等人。这天,延安举行了盛况空前的祭奠大典,宣读了祭文:

日寇逞兵,为祸中国,不分蒙汉,如出一辙。嚣然反共,实则残良,蒙汉各族,皆眼中钉。乃有奸人,蠢然附敌,汉有汉奸,蒙有蒙贼。驱除败类,整我阵容,抗战到底,大义是宏。顽固分子,准投降派,摩擦愈凶,敌愈称快。巩固团结,惟一方针,有破坏者,群起而攻。元朝太祖,世界英杰,今日郊迎,河山聚色。而今而后,两族一家,真正团结,惟敌是挞。平等自由,共同目的,道路虽艰,在乎努力。艰苦奋斗,共产党人,煌煌纲领,救国救民。祖武克绳,当仁不让,大旱盼霓,国人之望。清凉岳岳,延水汤汤,此物此志,寄在酒浆,尚飨。

参加大典的有延安各界百余单位的代表和民众共一万多人。中共中央代表谢觉哉,八路军总部代表滕代远、王若飞参加了大典。中共中央、毛泽东主席、八路军总部、边区政府等,均献了花圈。22 日，延安各机关、学校代表和蒙族同胞又瞻仰了灵柩，列队送别。

以后的十一年间，灵柩安放在甘肃兴隆山东山大佛殿，后又转至青海省塔尔寺。1954 年 4 月 1 日，迁回内蒙古伊金霍洛原址，修建了宏伟壮丽的成吉思汗陵。

戴笠向傅作义赔礼

李竭忠

1943 年仲夏，蒋介石在重庆忽然接到傅作义的一封辞职电报，请求派员接替他的职务。蒋不知事出何因，命戴笠查明情况。原来是戴的下属闯了祸，惹恼了傅将军。

追本溯源，抗战初期傅作义与共产党中央领导和八路军曾有过一段亲密友好的历史。傅的亲共言论行动，与蒋介石、阎锡山的反共方针背道而驰。因而傅部被某些人称为“七路半”军。

1939 年傅将军被任命为第八战区副司令长官，驻绥远河套地区，从此摆脱了阎锡山二十多年的管辖，受蒋的直接指挥。随着国民党掀起反共高潮，军统、中统的特务组织纷纷涌进河套地区，监视傅军，迫害共产党人和进步青年，制造白色恐怖，一时乌云蔽天。他们对傅将军团结抗日的主张，深为不满，但亦无可奈何。当时有军

统设置的邮电检查所，检查来往信件。有一次竟将傅的家信也拆封检查，傅忍无可忍，怒不可遏，遂召见邮电检查所的七个特务，当面训斥。这些家伙也毫不示弱，竟在傅的办公室门前横卧示威抗议。傅见此情景，不啻火上加油，更为愤慨，一面找人现场拍照，留作证据，一面向蒋发出辞职电报。

蒋为安抚傅将军，遂派戴笠飞往绥远省战时省会河套陕坝镇(现内蒙巴盟杭锦后旗政府所在地)妥善处理。戴笠下飞机后，首先把军统负责人高荣掌以耳光，怒斥他们惹事生非。戴下榻“塞上新舍”后，立即向傅等发出请柬。傅对此举颇有反感。按宾主之礼，首先应由傅设宴为戴洗尘。戴自视为中央大员，凌驾地方长官之上，反宾为主，有失礼仪。在宴会上，戴频频举杯，再三向傅赔礼道歉，并转达蒋慰留之意，后将肇事人员全部撤换，一场风波始告平息。

沙王遇难呈祥

冯　峰

沙克都尔札布(简称沙王)原系鄂尔多斯右翼前末旗(即札萨克旗)札萨克，受封为固山贝勒多罗郡王，被国民政府任命为伊克昭盟盟长，绥远省境内蒙古各盟旗地方自治政务委员会委员长、国民政府委员等要职。抗日战争时期，按照官职，他在伊盟守备军总司令陈长捷之上，但陈自恃军权在握，不把沙王放在眼里，并不顾牧区的特殊条件，强令伊盟各蒙旗垦荒种粮。于是，引发了 1943 年 3 月 26 日札萨克旗蒙古族人民的抗垦斗争。事件发生后，陈长捷派部队围攻沙王府。沙王被迫率仕官、府丁和家眷三四十人逃离王府所在地新街，进入沙漠地带。但追剿部队尾随其后，沙王等人事先并无准备，此时不知该去哪里安身。有的主张到包头，有的主张去宁夏，最后决定，派人到乌审旗西部，找中共乌审旗党组织和边区政府求援。

沙王一行，迎风冒雪，辗转奔波，有时一天吃不上一顿饭。喜讯忽传，中共乌审旗党组织和边区政府同意沙王的要求。是年 5 月 8 日，沙王到达乌审旗红柳河以南保罗和硕庙。当地党政部门派人专门组织了接待沙王一行的供给处。不久，沙王等人又要求移住到了大石坡庙。

转眼到了抗战六周年纪念日。7 月 7 日这天清晨，沙王派其长孙依照蒙旗习俗，率人祭奠“苏鲁定”，以求圣祖保佑蒙旗平安和抗日战争胜利。上午，他应邀参加了当地军政部门举行的劳军大会，在大会上讲了一个多小时的话。他说：“我们在危难中，边区政府伸出了援助之手。所有来到这里的蒙古族同胞都体会到了这里对待少数民族的平等友爱，我们遇到了好朋友，真是遇难呈祥啊！”

小状元光复丰镇厅

王福堂

张占魁，绰号小状元，内蒙古丰镇县饮马沟村人。自幼家贫，放羊当长工。青年时，迫于饥寒率民造反，组成百余人的独立队，活动在张皋和隆盛庄一带。他们劫富济贫，极受农民的拥护。

1911年，小状元和同盟会员弓富魁、王虎臣结识，接受了民主思想，率部参加了革命军。是年12月初，他与王虎臣等共同策划响应辛亥起义，10日在黄旗海边的孤山村起事。小状元被公推为起义军首领，王虎臣为军师。起义军当晚进军到永善庄。丰镇厅同知章同得知，一面派哨长傅锦祥前去与革命军议和，一面派人去大同府求援，同时还在丰镇城内招募兵丁备战。他的缓兵之计被识破，小状元当即扣押傅锦祥作为人质。翌日，革命军行至阮家窑遭到清军的伏击。小状元一面强占制高点，展开反击，一面派部队迂回到清军主力背后袭击。清军只好返回丰镇城，小状元乘胜追击，当晚围困了该城。

次日晨，小状元采纳军师王虎臣的建议，命少数革命军在东、南、北三个城门佯攻，集中优势兵力猛攻西门，终于攻入城内，章同逃匿，革命军占领了丰镇城。

丰镇城光复后，小状元严申纪律，释放囚犯，开仓放粮，公推朱尧为知县，处决了死敌马进禄，为革命军向商会筹款三万五千两白银。15日，清大同府派毅军向丰镇大举进攻。小状元和王虎臣计议，感到寡不敌众，不能硬拼，遂下令主动分两路撤退，朱尧留守。小状元率一路军退至永善庄继续抗击清军……

1912年4月，山西督军阎锡山调丰镇革命军到忻州整编，小状元被任命为抚顺马队营长，暂驻代县。后因革命军中派系争斗，小状元被大同镇守使杀害。

老一团

彭 勇

清末，土默特的地方武装有陆军步骑兵各一营。1913年冬，该两营被绥远城将军张绍曾在归化城缴械遣散，骑兵营三连连长玉禄在武川闻讯率部暴动。次年，接受招抚，被编为绥远骑兵游击队，1916年改编为绥远第三警备队，1921年改编为绥远补充团，1925年又被改编为暂编陆军第三团。其后，该团曾先后隶属于国民军骑兵第一旅、晋军骑兵第五师、奉军陆军骑兵第三十军、国民党骑兵旅。因其始终保持一个团的编制，而官兵又大部分为原班人马，故人们便习惯地称之为老一团。

1924年初，匪首窦飞龙、刘三红、徐大侉子、金牙红、杨万贞等纠集大股伙匪，号称五千，围攻包头城。玉禄率老一团奉命进剿，打退了伙匪，解了包头之围。在继续追剿伙匪的战斗中，二连连长多才和11名战士阵亡。团长玉禄异常愤怒，遂率队穷追猛打，杀伤土匪百余人，终将伙匪击溃。

1929年，巨匪赵半吊子率匪千余人骚扰归绥、和林、土默川一带，团长李根车率老一团奉命追剿，在五原北击毙赵半吊子，匪众瓦解，为当地人民除一大害。

1932年，老一团奉命追剿杨猴小所率千余伙匪，击败杨匪精锐，生俘几百，毙杨坐骑，使此股伙匪一蹶不振。老一团的连长云来栓在这次战役中献出了自己的生命。

以上三事仅为老一团的几次较大剿匪活动，至于围剿几十乃至几百伙匪的战斗则不计其数。群众赞誉老一团“保境安民”，确实当之无愧。

从1925年起，中共就派干部在老一团开展工作。1927年大革命失败之后，国民党在绥远“清党”，大肆搜捕共产党人。吉雅泰、奎璧、贾力更、高布泽博、勇夫等同志先后到老一团隐蔽并开展工作，乌兰夫同志也经常到老一团秘密活动。

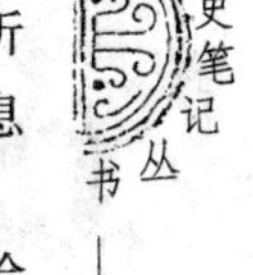

1931年，王若飞、刘仁等同志也曾在老一团官兵的掩护下开展工作。有一次，老一团战士听到包头警察局要逮捕吉合、涌泉等同志的消息后，曾火速通知他们转移。

1933年，老一团参加抗日同盟军开赴察哈尔前线。翌年，在大同驻防时，被阎锡山强制解散。至此，老一团结束了近二十年的战斗历程。

巨匪卢占魁的革命行动

王福堂

卢占魁聚众为匪，人多势众，危害绥远一

带，民愤极大。但他的两次革命行动却鲜为人知。

卢占魁乳名运子，字耀宸，丰镇隆盛庄天宝屯人。自幼家贫，当长工。1911年二十二岁时参加了小状元领导的辛亥起义，光复了丰镇厅。丰镇厅被清军复占后，他即随小状元退守永善庄。民国元年4月，山西督军阎锡山在忻州整编丰镇革命军后，他被编在丰镇警务长武万义部下当马警。武调任兴和，卢占魁同往，升任棚头。秋，他巡防二十三号地时，与当地教民发生冲突，无端被武万义重责三十军杖。卢占魁气愤至极，遂离武投奔霍殿开。冬，霍殿开被晋北东路司令官陈希义招抚，改编为马步独立营，驻防兴和、隆盛庄和弓沟一带。

1914年春，霍殿开一营官兵被绥远将军张绍曾借故聚歼。当时卢占魁正巧请假回家祭坟因而幸免。他只身逃回孤山，夺得驻防警察步枪一支，决心集结人马，寻机为马步独立营被害弟兄复仇。当年农历六月二十四日，卢占魁乘隆盛庄庙会之机，袭击了陈希义，打死了陈的孙子和外甥。从此，卢占魁铤而走险，拉起“杆子”，聚众为匪。不久便与张俊义等人滴血为盟，他为老大，人马发展到三千余人，行劫于绥远各地。

第二次革命行动是在1919年。是年春，卢占魁匪部被“礼送”出绥远后，武器给养充足，人马发展到五千多。他通过辛亥革命时结识的老同盟会员弓富魁，投靠了于右任，参加了靖国军，被委任为第六路军司令。卢占魁由陕北南下，进驻耀县。同年，他由弓富魁和于右任引荐，前往广州拜见孙中山先生。此后，卢占魁接受了民主革命思想。部下纪律也日渐好转。奉军战胜靖国军后，卢占魁率部投靠滇军，任第八旅旅长。翌年春，卢部奉命开往成都。因该部大部分官兵是北方骑兵，不适应南方作战，几经转战，人马损失过半，卢占魁只得率张俊义等弟兄逃回绥远。

1922 年 8 月，卢占魁在察哈尔地区东山再起，聚匪行劫。

乐景涛战经棚

王兴贵

1925 年 10 月，在共产国际与中国共产党支持和参与下，内蒙古人民革命党(简称内人党)在张家口召开了第一次代表大会。共产国际、中国共产党、中国国民党、蒙古人民革命党、冯玉祥的国民军各派代表列席了会议。克什克腾旗人乐景涛参加了会议，并当选为军事委员。大会以后，乐景涛受内人党总部派遣回克什克腾旗组织了内蒙古骑兵团，兵员很快发展到六百余人。他还以过去亲手创办的萃英小学校的学生为基础，开办了蒙旗军官学校。此间，中共北方区委为开展武装斗争，决定在冯玉祥军队中建立自己的武装力量，称“内蒙古特别民军”，在内蒙古东部地区建立三个骑兵纵队。第一纵队编五千人，由内人党总部推荐，并征得冯玉祥同意，由乐景涛任司令官。第二、第三纵队分别由中共党员陈镜湖(李铁然)、郑丕烈任司令官。同年，中共北方区委决定，乐景涛部与陈镜湖部配合冯玉祥的国民军攻打热河的奉军。

1925年12月6日，乐景涛奉命率六百余骑兵攻打驻守在经棚(今克什克腾旗)的奉军石文华部。交战中，乐部作战英勇，很快占领经棚，队伍扩充到一千二百人。不久又攻下林西、乌丹。一周之内，连克三城，大获全胜，俘虏奉军参谋长一人，士兵一千余人，缴获大炮七门。乐部仅战死一人，负伤四人。以后又追击奉军到开鲁、洮南等地。

翌年，张作霖、吴佩孚、阎锡山联军攻打冯玉祥。4月，乐景涛纵队奉命西撤多伦，与吉鸿昌部合兵，参加了有名的多伦战役。

马鸿逵为五原誓师台刻碑纪念

仁　炯

1926年，冯玉祥在五原誓师时，曾在城内西北平坦的空地上，就地取材，修筑了一个誓师台。并规定以后凡冯部军队在五原驻防时，每年9月17日都应在这个誓师台前集会纪念。冯玉祥认为五原誓师是国民军历史上有进步意义的壮举，所以极为重视，念念不忘。

1938年，南京国民政府迁至武汉，各战区高级将领到武汉开会时，冯玉祥向宁夏省主席兼第八战区副司令长官马鸿逵询问国民联军五原誓师旧址的情况。因冯系军委会副委员长，马鸿逵对询及的问题很注意。那时马部八十一军军长马鸿宾正驻军河套。马鸿逵当即电示五原军政负责机构，迅速在前国民联军总司令冯玉祥誓师旧址，修建一定标志，以留永久纪念。当时绥西行政督察专员兼五原县长陈应道，商同马鸿宾以及绥西游击军司令马秉仁，对原来的誓师台，重新修整，台前建立了高约五尺的纪念碑。碑面的正中刻着“国民联军总司令冯誓师处”，侧下方刻着“马鸿逵敬勒”等字样。

1940年春，五原被日寇一度侵占，前建之誓师台和纪念碑，也被敌人破坏不复存在了。

大兴安岭隧道两次险情

涂占江

大兴安岭铁路隧道是滨洲铁路西线的咽喉。1932年12月初，东北救国军总司令苏炳文海(拉尔)满(洲里)抗战失败退入苏联境内前,曾下令将大兴安岭铁路隧道炸毁，以阻止日军乘火车越过大兴安岭。因当时滨洲铁路由苏联人经营,苏方坚决不同意炸毁。当日军进攻博克图时,东北救国军驻博克图检查处处长、哈满特别区博克图署署长马金吉中校命令在撤回海拉尔的一列客车上挂两节平板货车，在列车过盘山道、上坡进隧道前,把两节平板车装满石头。日军占领博克图后,乘铁甲车向盘山道行驶,见铁路隧道被破坏,便停下车,由一工兵中尉率十几名士兵抢修。先行到达隧道的东北救国军官兵,按马金吉中校的部署，迅速将一节装满石头的平板车从盘山道上方顺坡推下。日军工兵见状,奋力扒开一节铁轨,平板车到达时脱轨翻倒,路基破坏严重,日军铁甲车却毫无损伤,但日军工兵中尉和几名工兵当场毙命。东北救国军乘列车进入隧道后,扒开两段铁轨,把另一装满石头的平板车推倒在扒开的路轨里，并将隧道东侧入口用石头堵死,浇上水冻实,使日军铁甲车无法通过。

1945年8月，苏联对日宣战，出兵中国东北。8月12日,苏军后贝加尔方面军第36集团军一部攻占牙克石和免渡河后，向大兴安岭铁路隧道突进。日军为阻止苏军前进,在隧道里埋设了大量的地雷和炸药，准备一旦苏军接近隧道,便实施爆炸计划。但苏军以迅雷不及掩耳之势迅速占领了隧道,挫败了日军的爆炸计划。苏军工兵部队叶夫麦诺上尉带领三十八名工兵在隧道里排除了一千五百多颗地雷，取出大量梯恩梯炸药，保住了大兴安岭铁路隧道免遭炸毁。

胡适“大写青山第二碑”

刁可成

1933年长城抗日战役，国内报纸誉为“最有力最光荣之一战”。战后傅作义将军在大青山下为他所率领的五十九军阵亡将士建立公墓，辟为公园，请胡适撰写了一篇碑文，由钱玄同书写，刻碑竖立于墓前，碑上还镌刻了全部阵亡将士三百六十七人的姓名，作为永久性纪念。碑文是白话体，原文很长，其最后的铭词是：

这里长眠的是三百六十七个中国好男子！

他们把他们的生命献给了他们的祖国。

我们和我们的子孙来这里凭吊敬礼的，

要想想我们应该用什么报答他们的血！

胡适在对日问题上，一向唱低调。当长城战事方酣，我军胜利在望之际，国民党政府却与日本签订了丧权辱国的《塘沽协定》，勒令我前线部队撤退。全国人民莫不义愤填膺，胡适却在他创刊的《独立评论》上发表了所谓《保全华北的重要》一文，公开支持国民党政府的这一卖国协

定。直到这年冬天，他亲笔撰写《抗日阵亡将士公墓》碑文时，为抗敌将士“最壮烈的血战”所感动，才认识到《塘沽协定》是一个耻辱的“城下之盟”，因而在碑文中赞扬抗敌的“中国健儿用他们的血洗去了那天城下之盟的一部分耻辱”。

事隔一年，1935年，国民党政府又与日本缔结了卖国的《何梅协定》，取缔反日运动，胡适从报上看到这个消息，悲愤交集，又写下了《大青山公墓碑》一诗：

雾散云开自有时，暂时埋没不须悲。
青山待我重来日，大写青山第二碑。

大青山公墓碑刻成建立之后，何应钦将军有命令：一切抗日的纪念物都应隐藏，于是傅作义将军在碑上加一层遮盖，上面另刻“精灵在此”四个大字。

这个烈士公园和公园内的烈士墓碑，至今屹立于大青山下。1982年内蒙古人民政府拨出专款，修葺一新，供游人瞻仰凭吊。

孙殿英部被歼记

苗玉田

孙殿英以土匪“拉杆”起家，逐渐扩大部队至五万之众，盘踞华北各地多年。蒋介石为了除掉他，任命他为青海屯垦督办。孙殿英开拔前往,路经绥远时,他的部队在归绥至包头及其以西之线,住满民房,多日也不肯前进。我当时是傅作义部的参谋长,傅派我去北京向陆军部长何应钦报告孙的情况。何说:孙在太原,你回去与傅主席商议,孙回绥过大同时,把他干掉,他那群龙无首的部下就容易解决了。可是不多时,孙部开拔了,路经宁夏向青海进发。部队进入宁夏后,打算把马鸿逵部消灭,乃向宁夏部队开火,马鸿逵军死守银川,并给以坚决回击。经过四十天的攻守战,孙处于败局之势。城攻不下,又不能前进,只可向绥远败退。这时蒋介石命令傅作义,即率三十五军全部和赵承绶的骑兵全部开至三盛公布防,司令部设在临河县。这时孙殿英部前有堵击的三十五军,后有宁夏的追兵,右有黄河难渡,左边是无边的沙漠,真可谓钻进死胡同了。孙部粮尽援绝,又不敢与三十五军开火,只得派人来临河,表示投降,请示办法。傅部告诉来人说:“我们派车给你送白面,你们把枪捆好,由送面车带回来,团长以上允许各留手枪一支。”就用这个办法将枪炮及其他军用品全部收缴。接着,一部一部、一组一组地把人带至临河,由我讲话之后,分批向包头遣送。全部至包后,每人再按路程远近发给路费和执照。就这样,把孙殿英的全部官兵遣送了。孙殿英个人不敢去北京而赴太原,因为阎锡山是他的掩护者,而何应钦是他的对手。

傅作义巧计斗羽山

刘映元

1935年夏，日本根据《何梅协定》，在归绥也设立了特务机关，并公开地挂出了特务机关的招牌。由于傅作义将军的坚决反对，遂以归绥特务机关长羽山喜郎的名字改为“羽山公馆”。

“羽山公馆”是日本侵略者埋在傅作义将军心脏中的窃听器，每时每刻都在密切注意着傅部的一举一动。傅将军则巧妙地与之周旋，机智地粉碎了敌人一个又一个阴谋。

先是羽山未经傅同意，将大量物资运往包头，准备建立飞机场。傅将军抢先一步令当地军、警、民团驻扎在拟建机场的地区，制止其动工。羽山又组织日本浪人寻衅闹事，傅则严令部下加紧防范，克制回避，使这些浪人找不到制造事端的借口。在与羽山智斗中，最突出的莫过于收复百灵庙战役。

百灵庙是绥远省北部的屏障。日伪在这个战略要地苦心经营多年，想把它变成进犯归绥的桥头堡。1936年冬，红格尔图战役结束后，日伪唯恐百灵庙也丢失，乃积极调兵遣将，加紧防范，并伺机进犯归绥。为扫除这一心腹大患，傅作义将军决心收复百灵庙。

为了麻痹敌人，傅将军在攻击百灵庙之前，命令驻守在城内小校场的部队每天早上跑步到城东三十里的白塔演习，天黑后再跑步返回驻地，天天如此。羽山以为是一般的军事训练，也就不太留意。11月20日，傅作义将军召集孙长胜、孙兰峰等将领开紧急军事会议。傅在会上说：根据最近日寇和伪军的调动情况，在近日有从百灵庙向我绥北进犯之企图，我军应抢在敌人来犯之前，先发制人，务必于11月24日前攻下百灵庙。

当时正下着大雪，气温低达零下42度。各部队按时到达指定地点。24日凌晨时分，当总攻的枪声打响时，百灵庙日伪守军，不少还在睡梦里。

收复百灵庙的消息传出后，举国欢腾。而羽山喜郎却瞠目结舌，呆若木鸡。傅作义在他的眼皮底下调兵遣将，他竟毫无觉察。

绥远抗战纪录影片

宁有常

1936年绥远抗战是震惊中外、撼动人心的一大历史事件。

“九一八”事变以后，日本侵略者步步进逼，在窃据我东北三省、热河全境之后，又在平津一带驻兵，侵占察北六县，成立冀东、蒙疆伪政权。

在中华民族处于危急存亡的关头，傅作义将军发动了绥远抗战，率军奋起抗击日伪军对绥远的进犯，取得了保卫红格尔图、收复百灵庙两次战役的胜利。消息传来，如春雷震响，全国人民顿时沸腾起来，掀起了轰轰烈烈的援绥运动，临风街头讲演，寒冬出塞宣慰，老妪捐金，狱囚节食……当时情景，使许多老人至今回忆起来犹感奋不已。

但是有关绥远抗战的新闻纪录和图片资料却留存极少。1985 年为纪念抗日战争胜利 40 周年所拍摄的《抗日战争的胜利》、《让历史告诉未来》等纪录影片，对于绥远抗战的表述却无图片镜头，仅有文字说明，卢沟桥抗日纪念馆反映绥远抗战，也仅选用了当时《大公报》等报刊上登过的一些照片。

一位朋友告诉我，石寄圃先生曾拍过一部有关绥远抗战的纪录片。这部影片曾在南京放映，当人们看到傅作义将军在银幕上出现时，全场起立，掌声雷动，观众情绪至为热烈。这些情况都是石寄圃先生生前亲自对他说过的。我喜出望外，心想，石先生家乡是武川(现内蒙古境内)，又是 30 年代电影界名人，拍摄这样的影片是可能的，于是我访问了北京中央新闻纪录电影制片厂。

我查阅了制片厂的底簿档案，见到有一部名叫《绥远剿匪》的片子，上面的说明一页记着："此片为无声电影，杂乱无章，不知主题如何，片中有战斗场面，将领形象，群众慰问等场面。”我一看到“群众慰问”四字，心里顿时豁亮，高兴地说：“这就是当年的绥远抗战纪录片。”因为当时国民党害怕日本人，不敢说绥远抗战，只说绥远“挺战”。当时报刊即有把日伪军称之为“匪军”的，我想这就是这部影片名叫做“绥远剿匪”的原因。后来请北京一些参加过绥远抗日的老人看了影片，也证实了这部《绥远剿匪》就是当年的绥远抗战的纪录片。

“圣教会真爱国吗？”

白燎原

傅作义先生早年因憎恨帝国主义而厌恶天主教，以致成见颇深。1936年绥东抗战时，天主教民众万众一心，共赴国难。前线有红格尔图神父宋元儒、易世芳、庞德义和大脑包村神父刘成宪率教民武装抗敌，后方有归绥公教医院救治伤员和内地诸公教机关捐款援助。然傅先生仍难释成见，曾向面请赴绥东前线抗战的内地神父雷鸣远发出疑问：“圣教会真爱国吗？”虽被雷神父的慷慨陈词感动流泪，但是直至绥东抗战结束，始终不愿报道和褒扬天主教民的抗战功绩。

日军空袭五原

梦 滨

1937年“七七”事变之后，日军集中优势兵力，大规模地向华南、西南、西北等地区进犯。在西北一线攻占了归绥、包头重镇后，继续向西蚕食，伺机侵占河套。此间，不断派遣飞机对五原、安北、临河一带的城镇、农村进行侦察、轰炸、扫射。从1938年春到1940年初，仅对五原县城的空袭就达数十次之多。每次出动飞机七八架、十余架不等。炸毁房舍、财产，死伤民众不可胜数。

损失最为惨重的一次空袭是1939年8月10日，日军出动重型轰炸机二十八架，于上午11时对五原县城进行了突然袭击。敌机在距县城三五里时，即发出刺耳的怪叫，随即俯冲而下，每枚二百磅的重型炸弹，由东向西雨点般地落到人口集中的市区。爆炸声震耳欲聋，烟尘蔽天，血肉横飞，全城一片火海。东街马路两侧落下数枚炸弹，十数行人被炸死炸伤，横七竖八地倒卧在血泊之中。一位年近六旬的老人被炸死在街中心，仰面屈膝，血肉模糊。一个中年农民的五脏六腑被炸飞，更有的身首异处，尸骨不全。附近断壁残垣上，溅满了鲜血、脑浆、头发，还粘贴着大小不等的碎骨、皮肉和一缕一缕的烂布条。北街一怀孕的郭姓妇女和她的两个孩子,被炸死在院内,令人惨不忍睹。居住在东街的木匠赵明一家躲在院内的防空洞里,因炸弹掀起的土块堵塞了洞口,防空洞也坍塌,全家九人全被闷死。郭二不浪一家十口,七人惨死,七口棺木出殡,凄惨之状,难以描述……。

当敌机飞临五原上空时,第八战区副司令长官傅作义亦未来得及躲避,炸弹在他附近三五米处爆炸,一个副官将傅推倒,自己身受重伤,傅作义被黄土掩埋了全身。

这次空袭,敌机共投弹一百二十八枚,我方军民死三十六人,重伤近百,毁房七十余间,损失财产难以计数。长官部除对死伤军民妥善安置,对孤寡幼儿分别救济外,对西山嘴防空情报所玩忽职守,未能及时发出空袭警报的问题,给予了严厉处罚。通令布告,撤销了绥远省防空司令兼长官部军警督察处长张公量的本兼各职,西山嘴防空情报所的三名情报员,送交军法处惩办。

《绥蒙抗战报》

于永发

1938年8月,中共中央令八路军一二〇师三五八旅七一五团和山西战地动委会第四支队组成大青山支队，于10月间挺进绥远敌后，开辟了大青山抗日游击根据地。1939年，中共绥远省委和支队部创办了油印的《绥蒙抗战报》。

在游击战争环境下，报社人员很精干，只配备三个人，即编辑兼记者夕然(周沛然)，行政兼发行李克泉，刻版兼校对张海全。设备也很简陋，仅有一架油印机，一块钢板，数支铁笔。报社没有固定地点，也不能定期出版，往往是在行军、战斗间隙编印，因而被战士们称作“马背报社”。报纸的稿源主要有以下三个方面：一是靠电台、收音机收录并刊载党中央的政策、指示精神，以及全国各战场战况；二是根据日伪报刊编写消息，如关于太平洋战争爆发的消息稿《血染太平洋》，就是这样写成的；三是进行战地采写，也有一些是战斗部队送来的。

《绥蒙抗战报》在宣传党的政策，鼓舞指战员斗志方面作用颇大，不少同志说：“只要能看到自己的报纸，我们的心里就感到踏实。”

1942年以后，大青山根据地领导机关转移晋西北，报纸亦停刊。保存至今的《绥蒙抗战报》已很稀少，仅内蒙古博物馆珍藏一张。周沛然虽曾存有一套，也在十年动乱中被付之一炬。

苏联情报机关的一部电台

韩云琴

在归绥(现呼和浩特)沦陷后的1939年,苏联在蒙古的情报机关曾派王治国在归绥市牛桥北的太平街某宅设置过一部电台。大致情况如下:

王治国,山西左云人。远在山西边口的右玉县杀虎口开辟为互市口期间,他就到这个市口的某家商号当学徒。其时的商号学徒,第一课就是学蒙语。几年后因他的蒙语说得很流利,就随字号深入蒙古的乌里雅苏台、科布多等地做起"旅蒙商"生意。在此期间还侍奉过"达赖公"、"蓝鬼子"(蒙古地区较有名的外国人,因汉人不知其姓名故统称为"蓝鬼子")等颇有身份的人。因王治国对内外蒙之间的主要城市牧场熟悉,蒙汉朋友较多,所以苏联设在蒙古的情报机关早把他看在眼里。后经多方周折,终于收买了他,并进该机关接受训练。据他说,他也有他的目的:他当时在外蒙古积攒下一笔可观的财富,想通过这个途径带回国内的家乡。

抗日战争爆发,归绥沦陷后的1939年,该情报机关把王治国和一个女子组合在一起,伪装为父女关系,并带一部电台回到归绥,住在牛桥北太平街路西的一间铺面房子里。两位乔装的父女以修表为掩护,正式干起情报工作。据王治国向刘映元先生说,当时交给他们的任务是:除报告日伪军政情况外,还提供大青山上国共两党的军事活动情报。大约一年以后,被日本特务机关察觉。他说,那时曾有一辆日本小汽车,连续几日来太平街一带巡视,好像要寻查什么。他们预感到不妙,便迅速把电台埋入炕底下,接着分道扬镳了。以后得知和他组合的那个姑娘到了张家口,他回到左云县自己的老家。

抗日战争胜利后,王治国又到武川、乌兰花一带做生意。1956年,他才找到刘映元并请刘先生把这段历史写成材料向市公安局汇报。以后听说市公安局照他提供的地方寻到那部电台,并给他的儿子安置了工作。

死而复生的宋再生

周树钧　马风彰

抗日战争中,在塞北河套大地上,传颂着宋海潮团长抗击日寇、死而复生的传奇故事。

宋海潮,字泽生。1940年3月我军反攻五原时,他接任三十五军一〇一师三〇三团团长。率部在五加河畔增援友团打敌援军的阻击战中,身先士卒,浴血奋战,连续击退敌人几次冲锋。敌人发现我指挥官,以机枪连续扫射,宋团长身中七弹，弹穿腹部，肠子被打断，倒卧在血泊中。

五原克复后，部队奉命撤离，仓猝间未来得及将宋的尸体运走。当天夜里，宋团长突然苏醒过来。但因流血过多，口渴舌干，无力说话，再加上天气特别寒冷，手脚被冻僵硬，时而又昏厥过去。翌日晨，城东村村民刘大宽到战地寻找水桶，听到有呻吟声，发现受伤昏迷的宋海潮。他又叫上一个村民，一同将宋背回他家中。怕被日寇发现，就将宋藏在场院高粱秸里，天天给他送汤送饭。在乡亲们的精心护理下，身受重伤的宋团长竟奇迹般地复生了。

部队撤往后方，师长得知宋的尸体并未运回，即派人到战场寻找，始知宋已被村民救走，他们抬着担架辗转将宋送到后方医院。经过手术治疗，接补了肠子，但留下了满身伤疤，腰部有一尺多长的两道伤口；八个手指，一个脚拇指受冻残缺；尾骨有颗子弹一直没有取出。

由于当时宋团长已被弃于战场，大家都认为他牺牲了，遂即上报国民政府，为表扬其功，追升他为中将，报纸上报道了他壮烈殉国的事迹，誉为“民族英雄”。宋在医院经过半年治疗，终于伤愈归队。傅作义将军接见了他，祝贺他的新生，建议他将“泽生”改为“再生”，他愉快地接受了。从此，宋海潮改名为宋再生。

巧夺战马

成枫涛 口述 孙清池 整理

1941年夏天，驻武川银矿山以北的三元井的日伪骑兵，对我游击根据地扫荡十分疯狂。为打击敌人，县长李康等经研究决定：先夺取敌人战马，而后打击敌人。吃掉敌人战马，等于砍掉了日伪骑兵的双腿，削弱了敌人的一半战斗力。

根据侦察员报告，敌人在三元井乡有军马八十余匹，白天在狼窝沟放牧，仅有六个伪兵看护。军马的特点是合群，动起来，一马当头，群马奔腾。根据这一特点，决定采取领、赶、收的赶马术。由李康同志带三个骑兵班执行任务。具体的做法是：以一个骑兵班作前卫，对付敌人军马班，死死咬住不放，最后掩护转移；另一个骑兵班赶马上路，不使一马掉队；再另一个骑兵班在前面引导马群奔驰。中途避免战斗。

战斗的一天来到了，由李康县长带队，分三路扑向狼窝沟。冲锋班迅速运动到放牧班的小屋，迫使当时正在午睡的敌人举手投降。赶马班挥起了十条鞭子，赶马上路。领头班在前面奔驰，后面群马紧跟，驰回我山区根据地。一枪未发，一人没伤，只用了三十分钟，就将敌人的八十多匹战马统统“俘虏”了过来，打了一个漂亮仗。

蒋介石吊孝

李竭忠

1947 年 12 月 5 日，傅作义在张家口就任“华北剿总”总司令。这时东北战场吃紧，蒋介石命傅派四个军和一个骑兵师由北平南下，寻找战机，打击和牵制华北解放军，以策应东北战场作战。

中国人民解放军晋察冀野战军司令部，一面派部队四出破坏铁路，使平、津、张、保之间的铁道陷于瘫痪；一面调动大军在保定以北地区布阵，准备歼灭傅的有生力量。

1948 年 1 月 12 日，傅命三十五军军长鲁英麟率部增援涞水。适逢大雾弥天，所乘汽车只得白日开灯行驶。晚宿拒马河桥头堡，鲁令新三十二师师长李铭鼎率两个团过河搜索，在庄町村被解放军包围。李铭鼎在突围中被击毙，所部被歼灭。鲁英麟闻报后，解放军已迫近军部，遂弃车乘马，随骑兵部队退至高碑店。

鲁英麟与傅作义系保定军校同学，曾任第八战区副司令长官部参谋长，抗战胜利后，任三十五军军长。该军是傅的王牌军。此次惨败，无颜复命，遂在高碑店车站自戕身死。

傅作义闻讯后，悲痛欲绝，命将鲁、李遗体

运回北平，进行厚殓，停灵嘉兴寺。

这时蒋介石由东北回到北平，为了安抚傅军，决定亲往嘉兴寺祭奠。这一日嘉兴寺内，气氛肃穆，正厅廊檐下并列两口巨大棺木，焚香设供，布满花圈，家属子女跪在灵侧。上午十时正，蒋在傅的陪同下，缓步来到鲁的灵前，敬献花圈，默祷片刻，然后家属伏地致谢。又来到李的灵前，进行同样礼仪。站在灵前的一为主祭、一为陪祭的蒋、傅二人，在整个祭奠过程中未发一言，看来心情都很沉重。涞水一战，成为大厦将倾之前奏。

内蒙古境内长城的“三冠”

高　旺

内蒙古境内的长城，历史悠久，修筑朝代众多，里程最长。中国长城学会副会长罗哲文先生把内蒙古长城特点概括起来，称为“三冠”。

历史悠久为“一冠”。据记载，我国历史上有二十多个王朝和诸侯国家修筑过长城，其中在内蒙古境内修过长城的有十三个。从公元前8世纪算起，有春秋时代的南仲城；战国时代的赵、魏、秦、燕长城；秦始皇统一中国后修筑的秦、汉长城；南北朝时期的北魏、北齐长城；明代修筑过外边、内边、次边三条长城，尤其是七百多里长的次边，全在内蒙古境内。在两千多年漫长的历史中，内蒙古几乎没有停止过对长城的修筑，这是全国其他省区无法相比的。修筑朝代众多为“二冠”。内蒙古长城除春秋南仲城遗迹无存外，战国时代的赵、魏、秦、燕长城遗迹均可找见，秦、汉、北魏、北齐、隋、辽、金、明各代长城也都有保存至今的遗址，各时代的结构特点，也有迹可寻。可以说，在内蒙古境内修筑的长城，所属朝代之多，也是其他省、市、自治区所没有的。里程之长为“三冠”。初步统计，将我国各个时代所筑长城的长度加起来约有十万多里，绵延十六个省市自治区。据 1979 年勘查，在内蒙古境内的，就有三万多里，约占长城总长度的三分之一。

鄂伦春人与漠河金矿

沈斌华

漠河金矿,遐迩闻名。但人们不一定知道它的开发与鄂伦春人有密切的关系。漠河的元宝山,鄂伦春语称“日勒特”,是个金脉极富的地区。这个金矿引起沙皇俄国殖民者的垂涎,咸丰十年(1860),便有“沿边俄人雅克萨数名私自探采,未得佳苗”(《瑷珲县志》卷十三)。光绪八年(1882)春,“有鄂伦春人在日勒特地方掘穴,得金块数粒”(《黑龙江志稿》卷二十三)。这一“数粒”的发现,为漠河金矿的开发提供了重要线索。但为了开发它,需要开辟一条由墨尔根(嫩江城)至漠河的山路。这里“沿江右岸终古未辟,无复人行足踪”,必须穿越兴安岭原始森林,“丛山曲涧,间以窝集,别无蹊径可寻,大木环蔽天日,号称林海,力伐亦无出路”(《黑龙江述略》卷四),打通这条道路的困难是可想而知的。但长期游猎于大小兴安岭里的鄂伦春人,个个都是“活地图”。光绪十一年(1885),在鄂伦春族佐领台吉善带领之下,以二十名鄂伦春马兵为前导,从墨尔根城出发,“穿林越岭,牵马驮运,径由山谷开辟,直达漠河金矿”(《瑷珲县志》卷十三),终于打通了这条长达一千多里的嫩漠山路。这是一条跨越大兴安岭,把祖国的极北地区与富饶的松嫩平原连接起来的重要通道。这条道路不但在当时,就是在以后的日子里也一直发挥着重要作用。如果没有鄂伦春人的参与,要顺利完成这一交通史上的壮举是不可想象的。

达斡尔族的放排业

毅　松

放排业是达斡尔族独具特色的产业。达斡尔族村屯历来傍江河而居,达斡尔人就利用江河漂运木材,以建屋造房,制做生产生活用具。清朝康熙年间建筑墨尔根(今嫩江)城时,达斡尔人曾被征放排运输木材。所以嫩江城在达斡尔人中也有“穆都浩腾”(木城)之称。以后,在建筑齐齐哈尔、富拉尔基等城镇时,达斡尔人的放排也起了作用。

达斡尔人放排,一是在早春季节出发,一年内争取放排两次。另外则是春耕后出发,一年只放排一次。出发时,达斡尔人乘坐马拉大轮车,带上几个月的粮食,从陆地逆嫩江、诺敏河等江河赴上游数百里的林区。放排人员六人、八人不等,组成一组,推举一位有放排经验、熟悉水道的长者担任领头,其他人员要选勤于劳动,有力气、水性好的壮汉。在到达采伐地后,搭起“撮罗子”式帐篷宿营。然后开始紧张的采伐。伐木时,要选准用于房柱、梁、檩、柁的木料。采伐后要打枝去杈,把木料装在两个串在一起的大轮车上,用马拉到河流岸边。再把木料两端凿出眼孔,用黑桦或松木杆将木料串成木排。一个木排串十几根木头,最多的达四十根。木排扎好后,只等雨季江河水涨放排。放排是非常艰苦、冒险的劳动。在山谷河流中,水急浪大,又有明石暗礁,随时都有翻排的危险。放排人站在浪花飞溅的木排上撑篙摇橹,在同险滩激浪的搏斗中前进。有时木排流入江河支叉,难以向前漂流,就只好拆排放单根,或下水拉木排。

达斡尔人过去放木排,除自家建房制家具用木外,主要是把木料漂运城镇出售,换取生产生活资料。每个村每年都有几个“阿纳格”(小组)从事放排生产。

鄂温克人的“尼莫尔”

沈斌华

雍正十年(1732),布特哈地区部分鄂温克族官兵一千六百三十六名,携带眷属,移驻呼伦贝尔草原。为了使他们永戍边疆,清政府“各给马匹、牛、羊,以资游牧,而期滋生”,从此,鄂温克人的畜牧业有了发展。鄂温克人的牧业经济生活,一般都以“尼莫尔”的形式联系在一起。“尼莫尔”,鄂温克语意为邻居,就是由一些家庭组成的共同游牧小集团。一个尼莫尔多则十多户,少则三四户,结合的时间有长有短。早期的尼莫尔组织,纯粹是以血缘关系为基础的生产互助集团,不存在剥削关系。在游牧迁徙或打草拉柴时,尼莫尔各户的牛、车可以集中起来,共同使用;放牧时互相照看,分工协作;缺乏劳动力的户可得到各家照顾;遇到婚丧大事或天灾人祸时,大家协力相助。但随着私有财产和封建关系的发展,贫富两极分化,到解放前,多数尼莫尔关系已经改变了性质。即在“互相帮助”的名义下,变成以一个封建贵族或富裕牧户结合若干贫困户组成的有封建依附关系的游牧集团了。牧场和草场的占有,虽仍由尼莫尔共同使用,但因贫、富户所占有牲畜头数十分悬殊,牧场实际

上已为富户所占有。官僚封建主利用政治权势霸占了牧场,尼莫尔内的贫困牧户,由于缺乏生产资料和生活资料,经济上便不得不依附封建主,封建主就对贫困牧户进行各种劳役剥削。最后,由于交换的发展,资本主义因素的侵入,贫困户使用富裕户的生产资料要用劳役偿还的这种剥削形式,便逐渐演变为明确的雇佣关系。

丝茶之路的保商团

韩云琴

公元 1796 年(康熙三十五年),康熙亲征噶尔丹后,旅蒙商人在塞北开辟出一条沟通内地和蒙古的通道。乾隆年间,平定西北后又开发出一条通往新疆的大西路。这就是后来所谓的"丝茶驼路"。两条路都是由归化城(现呼和浩特)作为起点,经大青山后的可镇、召河,到达尔罕旗的百灵庙,分别向西、向北延伸的。其中召河是进出归化城的重要枢纽。骆驼从戈壁归来要在这里放牧、休息,从蒙地贩回的羊马也要在此驻足,分拨出售,然后由各路商贩赶入内地市场。由归化城出发到北地的驼商还要从召河及其附近的可镇装路上用的给养。在长达二百多年的历史中,这一带的蒙汉人民交往合作,端赖此路维系。

辛亥革命后，百灵庙曾发生过外蒙侵犯内蒙边境的战争。战后,这一带常有土匪骚扰,百灵庙与召河之间商路阻碍，集中在归化城的货物堆在栈房里不能运出,新疆、外蒙的镖银、土产回不到内地。

召河有个叫银海的人，是归化城席力图召在北草地十个分支召的扎萨克喇嘛，又是召河锡拉毛尼召的当家喇嘛。可镇有个富户名叫王可升，是从新疆移来的汉族驼户，后因资财雄厚,被人称为“八老财”。王家来蒙地已有三代，一直经营驼运。他家在蒙古的草地上有很多蒙汉朋友,和银海喇嘛交情尤深。土匪滋扰期间，银海已经成立起一支保卫召河的武装民团,喇嘛中的射击高手都被吸收到该团里。还有一个参加过外蒙独立的黑道人物伊力圪庆也被编入。因他与大股土匪中的头头们都有关系,所以大股土匪不好意思来召河刁抢，小股土匪不敢碰喇嘛兵。为此,召河丰美的水草地得以平静。当时边境上的达尔罕旗也建起保卫团。归化城的商号中都有经过训练、操有武器的铺勇,其组织叫“体育会”。于是“八老财”以其声望及与归化城商务会正副会长段履庄、李秀甫、王赞庭的交往关系,决定充当媒介,把三方蒙汉力量凝结一起,担负护路任务。1911年,三合为一的“保商团”宣告成立。

这个团共有四个连,银海喇嘛当团总,伊力圪庆任副官,“八老财”任稽查,体育会教练任稽

查长。经费由驼商合理分担。从此“保商团”便活跃在归化城与百灵庙的驼路周围，穿行于草原戈壁，沟通内地的两条大动脉复苏了。

归化城的旅蒙商都说：“银海喇嘛和八老财给咱们办了一件大好事。”

绥远城浚壕种树记碑

奎　曾

同治九年(1871)，时任建威将军镇守绥远城等处的满族将领定安，在绥远城(今呼和浩特市新城)北门城楼远眺，见大青山下草场辽阔，一马平川，但尘沙飞扬，河流壅塞，乃决心开挖城壕，植树绿化。在他主持下，经过“董劝乐输，得金八千有奇”。于是就在当年春季引喀尔沁源(今名哈拉沁沟)，“周浚壕堑或丈余或八尺，以得泉而后止”，开挖了绥远城四周的护城河，至今尚留有部分河道。同时，“于城之内外，凡教场街衢之间，植柳三千七百余株，又设卡房八所”。“畚锸贯序，历夏秋而告功成焉”。是年十月，在绥远城西门外勒石建碑，上镌《绥远城浚濠种树记》记叙了这次大规模挖河植树的经过。而撰写碑文的，正是主持人定安。

碑文在定安名前冠以“斐凌阿巴图鲁”称谓。按“巴图鲁”系满语勇士之意，“斐凌阿”则是加在勇士前面的“清字勇号”，亦满语。他是一位久经沙场作战有功的满族将领。他虽为一介武夫，但颇有理想抱负、科学见解和文化素养。碑文开头便说：“流之远也，木之茂也，天地自然之机也。为流远而浚源，欲木茂而培根者，以人力之有余，补化机之不足也。”为了“流远”“木茂”，人可以改造环境，弥补天地自然之不足，这种思想是进步的积极的。碑文中还谈到工程竣工后，他想到未来；“仿佛乎凤池春色，柳暗花明”，塞外荒凉景色为之一变。这就可以“使朔漠荷戈之俦(指驻守绥远城的兵卒)共沐圣朝之涵育”，安心戍边，忠于职守。碑文还假设有客诘难，通过答客问形式抒发他的见解：“地利不如人和，理之不易也。”

此碑碑身为汉白玉石，高225厘米，宽90厘米，厚20厘米。碑座为青石赑屃。碑文楷书恭正俊逸，秀雅大方，为赐进士及第诰授奉政大夫提督山西学政江南道监察御史龚承钧书写，并由奉政大夫花翎同知直隶候补知县郑锡祺篆额。他们二人都是汉族官员。

这座石碑在“文化大革命”中被红卫兵扫“四旧”时砸断推倒，弃置荒草丛中。现在，断成两截的碑身尚在，碑文完好清晰，碑座赑屃则不知去向。

独特的"号规"和惯例

王厚山

红极一时的旧归绥商号大盛魁，组织系统庞大而复杂。它的总号在管理上虽无成文的规章制度，但有历任老掌柜们传下来的格言和长期形成的一套传统"号规"和习惯。这一套独特的规定，对于企业的巩固和发展曾起过极大的作用。

分庄和分支机构的领导方法和制度：总号对分庄、分支机构的指示、安排，分庄和分支机构的请示、汇报，都用编号和注明日期的书信进行。写信的方法多用暗语，用通常问候、谈家庭琐事或气候冷暖的形式来谈号内商务。遇到机密或重大问题，就派高级掌柜来往口述。采取定期或不定期的查庄、查场的办法，检查业务、考核人员的优劣。

对全号人员的"号规"和惯例：号内人员一律不准携带家眷；不得长支短欠；号内财物不得挪用；号章不得用于作保；号内人员不得兼营任何其它业务；禁止嫖赌和吸鸦片；不接待个人的亲属朋友；非因公务不得到小号（下属分号）串门；在回家休假期间，不得到"财东"和掌柜家里闲坐；不得向"财东"和掌柜送礼；如遇职工婚丧事由本号送礼,人员之间不得互相送礼;不得互相借钱;不得在外惹是生非;人员如有过失,不得互相推诿,不许欺瞒包庇。有以下情况之一者,立即开除出号,即:打架斗殴者,挑拨是非者,结伙营私者,不听指挥调动者。这些规定,是为中下层职工而设的。“刑不上大夫”,对于掌权的首脑们,当然可以例外。

大盛魁的规章制度虽没成文,但在号伙(职工)中具有强大的约束力。

黄河上的牛皮筏子

刘嵩柏

牛皮筏子与羊皮筏子,曾经是黄河中上游数百年来用作渡河和运输的特殊工具。羊皮筏子构造轻巧,携带行驶简便,知道它的人不少,至今在兰州黄河边设置的一些旅游点上,还可看到它的踪迹。而牛皮筏子形体庞大笨重,适用于远行运输。随着先进交通工具的日益发展,早已绝迹了,故鲜为人知。

牛皮筏子用牛皮囊填满驼毛、羊毛,外面严密地进行包扎,再将这些牛皮囊逐一排列组合,上面用纵横交错的木料装订捆扎连接成为一体,即可在河面上行驶。牛皮囊每个重约一百五十斤,由二百八十到八百个组合为一筏。一般纵长六十余尺,宽逾一丈。载重量可在五千斤至二万斤。

牛皮筏在民国年间甚为兴盛。每年春天冰河解冻或秋水上涨时,在包头黄河码头上,可以看到这些牛皮筏组成的运输大军,声势浩大地由上游漂流下来,异常活跃。筏子在行进中秩序井然,十分壮观。向晚,在筏子上远眺长河落日、大漠孤烟的塞上景色,俯瞰波浪奔腾的黄河九曲,水禽翱翔,清风振衣,殊饶诗情画意。

张立范与甜菜籽的故事

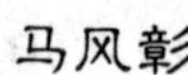

马风彰

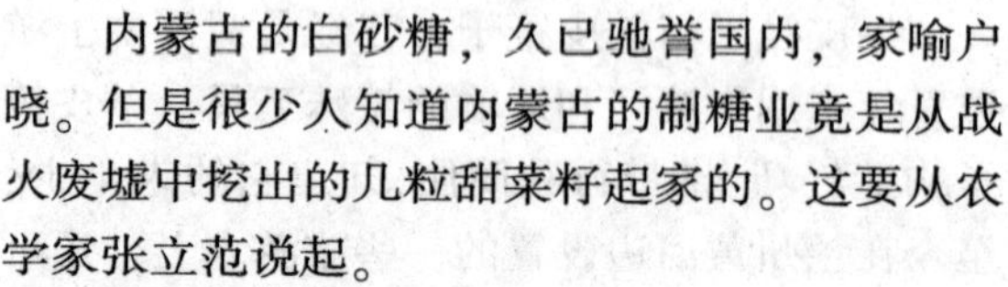

内蒙古的白砂糖，久已驰誉国内，家喻户晓。但是很少人知道内蒙古的制糖业竟是从战火废墟中挖出的几粒甜菜籽起家的。这要从农学家张立范说起。

张立范,字化若,1902 年生于山西省河曲县马栅村(现属内蒙古准格尔旗),早年勤工俭学于法国蒙伯里农学院。在法国，他结识了陈毅同志。陈毅动员他参加革命,他说,我在国内学农业,来法国仍学农业,机会来之不易,我要努力学点本领,期望能对我国的农业作些贡献,你们搞革命,我来搞吃饭吧。归国后,他放弃在大专院校教书的优厚待遇和大城市的舒适生活,应傅作义之邀，毅然来到当时还很落后的内蒙古河套地区，从此扎根在这片沃土，贡献了他毕生的精力。

当时正值抗日战争时期，张立范被傅作义聘为农林专员，任绥远省农业改进所所长。他把所址设在农村，在五原开辟了一个农事试验场，推广科学技术，对落后的农业生产进行了一系列的改革和增产措施。与此同时，他把精力还倾注到引种各种经济作物，特别是引种甜菜和制糖方面。限于当时的条件，全靠手工操作，制出的糖，质量不够精细，但在战时物资奇缺的情况下，边塞地区人民能吃上自产的红糖，实属不易。

1937年，张立范在农场引种德国甜菜优良品种，精心培育，获得成功。日寇入侵河套时，农业设施及农业物资毁于战火，张立范为此痛心疾首。1940年春，我军克复五原，张立范立即回到农场察看，竟意外地在残垣废墟中挖出了为数不多的甜菜种籽。他喜出望外，如获至宝。谁也不会想到竟是这几粒种籽，成为内蒙古今日甜菜广为种植的始祖。张立范在不同土质和气候差异下，细心观察甜菜生长过程。对土壤及气候的适应以及成熟期、产量、病虫害、含糖量等等作了系统研究，选育良种，不断改进，培育出抗寒力较强的“河套种”。解放后，在此基础上，又引进新的品种，甜菜种植扩展到全区，内蒙古成为国家重要的甜菜生产基地。

50年代初，张立范就任内蒙古自治区农业

厅副厅长。国务院根据他的科研成果，批准在包头市建立了第一座现代化糖厂，从此内蒙古兴起了制糖工业。

丁道衡首倡建包钢

钟志祥

人们大多知道从 1957 年 7 月 25 日，全面破土开始建设“包钢”(包头钢铁公司)，但很少有人知道在这半个世纪之前，我国著名地质学家丁道衡即已首先倡议在包头建设一座钢铁企业。

1925 年，北京大学地质系助教丁道衡，初次发现了白云鄂博铁矿。1927 年春，他应邀参加了瑞典科学家斯文赫定资助组建的中国西北科学考察团，负责地质及古生物研究，并调查沿途矿产。5 月 9 日从北京启程，乘平绥线(今京包线)火车，于翌日抵达包头。经过准备，于 20 日组成驼队，由前口子进入大青山，沿传统商道北上，6 月 1 日到达百灵庙驻营。丁道衡与另五名外国人组成北分队，负责绘制北线地图。7 月 2 日路经白云鄂博。当地蒙古人怀着骄傲和敬畏的心情告诉丁道衡，这山是他们的神山，名叫“白云鄂博”，意为富神之山。第二天，丁道衡背着沉重的地质行囊，手持地质锤，只身徒步三十余里，直奔白云鄂博,“甫至山麓,即见有铁矿矿砂沿沟处散布甚多,愈近矿砂愈富,仰视山颠,巍然屹立,露出处,黑斑烂然,知为矿床所在。至山腰则矿石层累迭出;愈上矿质愈纯。登高俯瞰,则南半壁皆为矿区”。丁道衡兴奋地说:“很荣幸,我发现了它的秘密!”一连数日,他在山上采集了各种的矿石及岩石标本,对白云鄂博地区的地形、地质构造及矿区生成、铁矿储量、矿石成分、地上水源等进行了认真调查,认定这是一个蕴量丰富、远景广阔、极有开采价值的大型铁矿。

丁道衡在这一发现的基础上,又把注意力集中到未来的工业开发之上。六年以后,他发表了著名的《绥远白云鄂博铁矿报告》。在报告中,他就铁矿开采后的交通运输问题,提出了修筑白云鄂博与包头间铁路线的设想。他说:“若能由该地修一铁道连接包头等地,即可与平绥路衔接,则煤、铁可积于一地,非特铁矿可开,大青山之煤田亦可利用,实一举而两得其利。”他进而倡议:包头是我国西部交通枢纽,四通八达,出路甚多,若能于包头附近建设一座钢铁企业,则对于西北的开发具有深远意义,其重要性又不仅在经济方面而已。他断言:“毫无疑义,假如能够对白云鄂博铁矿进行大规模的开采,它必将成为发展工业的主要矿源,并将促进中国的西北地区发达起来。”

一斤大葱价值一万元

刘定一

民国时期，内地有一种常来蒙古草地做买卖的旅蒙商，被人呼作“粗脖子”商人。西部伊盟某旗公署曾赊过某粗脖子商人一斤大葱，当时没给钱。后年深日久，旗署官吏多有更易，粗脖子商人每来问讯，旗署均予推诿，置之不理。商人追索未得，乃上控到绥远省政府。此时已经过了十年之久，而粗脖子商人在蒙旗地带的习惯是取“驴打滚”(即复利)的计息办法。据该商核算，大葱一案本利迄今应付银元十万元。省府愕然，却又没有适当办法可依，于是乃将此案送南京政府处理。南京政府又将案卷交蒙藏委员会处理。当时负责蒙政处的处长是蒙古族人吴鹤龄。吴乃召集双方协商。旗署确认实有其事，唯款额太大，始料不及，刻下无力负担云云。最后三方商定，把十万元降低至一万元，由蒙藏委员会代付，总算结案。一斤大葱竟值一万元，旗署晦气莫名，徒呼可恶；商人携金而去，口中犹有微辞。此事于蒙藏委员会案卷中可查，非余杜撰也。

惊人的盘剥

沈斌华

国外有这样的谚语:“不把耗子粪当作印度胡椒卖,就不能算商人。”旧社会的旅蒙商可说修炼到这地步了。

解放前,内蒙古偏僻的农村牧区,日用百货很缺乏。例如火柴,有的地方甚至二三年也买不到一盒。牧民偶然买上一盒,就要用个一年半载。当时有不少家庭只得以原始火石来代替火柴。反动派除了迫害和剥削人民外,从没想到在物质上帮助蒙古族同胞。可是,有一批被称为“旅蒙商”、“边商”或“通司行”的商人却对这些同胞非常“关心”,他们“关心”内蒙古农村牧区无数的牛羊马匹和土产畜产。他们也很辛苦,不远千里而来,一些人还通晓蒙古族人民的风俗习惯,会一口流利的蒙语。每年春暖以后,他们带着食粮、寝具、帐幕,用牲口驮载商货进入草地,每到一地都陈列开来,招引顾客。附近居民便四方来会,以各种畜产品交换日常必需的百货。商人看上去十分亲热地招待来者,他们抓住了牧民们价值观念差和不懂行情的心理,看出哪个牧民急切需要的物品,便把它吹得天花乱坠,所以商品一到草原便身价百倍。另有商人当

看到牧民即使出售全部剩余产品，也不可能换回自己的日用必需品时，便假充仁义，答应牧民可以赊购。到归还时，商人按小羊应长之齿数或母羊应孳生多少小羊，计算利息，到期不能偿还，就要加上复利。因而一块砖茶，经过辗转盘剥，最后被索走一匹高头大马。

兹列举一下解放前伊克昭盟不等价交换的情况：一匹白市布换十三石糜子；三尺土布换十斤羊毛；一件长袍料换六十斤羊毛；一盒火柴换一斤羊毛或十四个鸡蛋；一双蒙古靴换一匹马；一个鼻烟壶(假玛瑙、假玉石的)换一只羊；一块砖茶换三十六斤羊毛。东部大兴安岭猎区的情况是：一碗小米换一张鼠皮，一碗盐换一张羊皮，五斤酒换一张犴皮，枪支弹药则更贵了。一般商品除去往返运输成本，纯利润可达十倍。

蒙文铅印的开创者特睦格图

纳古单夫

特睦格图(1887—1939)汉名汪睿昌，字印侯，内蒙古喀喇沁右旗人。他自幼聪明好学，为蒙藏事务局首任总裁贡桑诺尔布(贡王)所赏识，送他到本旗崇正学堂学习，因成绩优异，被选送到北京俄文学堂学俄语。1906年冬入日本东京振武学堂陆军士官科学军事，后转而学医。六年后回国，先在贡王府行医，后任蒙藏院首席翻译官、典礼司员兼蒙藏学校教授。特睦格图深通蒙、汉、满、藏四种语言，并通晓俄、日两国文字，他一心致力于蒙古民族的语言、文学、历史研究和蒙、汉、藏、满文典籍的翻译与整理。但他深感出版蒙文书籍之难。当时,蒙文印刷,只有少量木版印和石印,尚未出现铅印。俄国人和日本人分别在东北出版过蒙文铅印杂志、日报,但对中国保密,技术未能传入。而外国人制成的蒙文铅字,工料粗糙,字形难辨。于是特睦格图决心自行创制中国的蒙文铅字。

1915年,特睦格图对中外铅印工艺作了细致研究,首先将蒙、满文上中下三体四百余铅字(蒙文三百二十四铅字,外加满文等特需字头)书写成工整的正楷字。然后分类排队,选其美观大方的字形,精雕细刻,反复实践,第一次用牛角刻出八十五个字形。但应用于印刷时,上下深浅不一,粗细不均,未获成功。第二次,他改用黄杨木作材料,手刻数百蒙文字头,字型略有改进,但我国京津地区不能承制木刻活字版。其后,在贡王的支持下,他多次到天津向日本人学习有关雕刻技术,结合实际情况,初步制成了蒙文铅字,作出了铜模,铸出了字。经过反复试用,多次改进,1922年冬,蒙文铅字印刷术终于在我国第一次获得成功。

蒙文铅字创制成功后,当时北京政府农商部发奖状表彰,不征捐税,发给三十年的专利证书。他创制的满文铅字亦相继问世。

1923年春,特睦格图在北京创办蒙古民族有史以来第一家出版社——蒙文书社,自任经理。召集在京的蒙古族学界人士伊德钦等,兴办了蒙文印刷厂。并继续创制藏文铅字，铅印藏文典籍。由特睦格图主编、翻译、出版的蒙、汉、满、藏文书籍多达五十余种，十万册以上。这些书籍不仅发行国内，且远销于日、俄、法等国。其中《蒙日语会话》、《蒙文教科书》(八册)，成为日本学习蒙文蒙语的入门书籍。

1939年5月2日，特睦格图病故于乌兰浩特。

江上波夫四访阿伦斯木城

王晓华

1990年我曾以内蒙古文物工作人员的身份，陪同日本著名考古学家江上波夫一行五人前往考察阿伦斯木古城。阿伦斯木古城遗址位于乌兰察布盟达茂旗境内，是自治区重点文物保护单位。该古城距今有七百多年历史，为元代赵王城。赵王世家是汪古部的四大家族之首，与成吉思汗家族有“世婚世友”之约。古城在大元帝国时曾极尽繁华。桑田沧海，早已消踪漠野，无人问津了。

1982年以来，江上波夫多次向我国提出发掘古城的愿望。一位年已八十二岁高龄的日本学者，何以如此执著于这座古城呢？江上先生告诉我，这座古城一直是他心中的一个谜，一块尚待开凿的璞玉。他曾在解放前三次考察过该城。

第一次是在 1929 年，年轻的江上波夫听说有这样一座元代古城，便远足而至。当时达茂旗的王爷很凶，只让看 20 分钟。此行他仅仅捕捉到古城遗留的一个轮廓。

第二次是 1939 年，这时的达茂旗王爷不仅让去考察，而且还派兵护卫到古城。原计划考察 20 天，江上波夫在古城内做了细致的测绘、拍照工作，将记载古城的《王傅德风堂记》碑文拓了拓片，还做了一部分试掘工作。后因接应的车没按时到，实际考察的时间已超出了原定计划。

第三次，在 1942 年，又做了三天的考察工作。

江上波夫先生认为，这座古城遗址在学术研究上价值很高。在元代它是一座经济、文化很繁荣的城市，又是一座景教、佛教、喇嘛教、罗马教等多教并存的古城。依他的看法，这座古城是欧洲文化传播到中国最早的地区，亦是罗马教传入东方的第一座城市。

为了证实这一推断，在此次有我陪同在古城遗址参观考察的一天半中，江上先生和他的同行者，弯着腰低着头在遗址上搜求。当发现半块带植物花纹的砖头，一个有 15 厘米左右大的石狮子头时，江上波夫先生如获至宝，顿时喜笑颜开。他说："这块植物图案砖，纯属罗马花纹；这种狮子头，是欧洲王室宝座两边扶手上的装饰物。这两件文物标本证实了我的说法。阿伦斯木古城内的建筑是因塌陷而毁的，特别是教堂和图书馆遗址,地面堆积物体最大,原室内的东西是埋在地下了。”这就是阿伦斯木让江上波夫先生迷恋的症结所在。

“女武训”刘英士

韩云琴

刘英士出生于1886年,祖籍山西河曲,逃荒出来定居绥远安北县(现乌拉特前旗)太有乡。她与丈夫郅桂举勤耕俭用,到50岁时已小有资财。1938年其母患有重病,祈祷神灵,母亲居然康复。她要酬神盖庙,方圆几十里却找不到会写“灵验”二字的人。自此,她把盖庙的打算转变为办学。同年9月,一个类似私塾的学校开学了。先生是彭承宣,学生只有十二名,还是经她走村串户动员而来的。她从县城买来课本文具供学生使用。

刘英士用母亲般的慈爱关心孩子,让路远的几个孩子和她同吃、同住,孩子的衣服破了,她亲手为之缝补。师生邻里深受感召,学生逐渐增多,到1941年已有五十余人。县长乔学曾特拨小麦若干石为之扩建校舍,1946年已是拥有八十多名学生的初级小学。学校的开支逐渐增大,靠她自身再也承受不了,便与女儿徒步到省城归绥(今呼和浩特)求援。她本系家庭妇女,一

只眼已经失明，凭着两只小脚到处奔波，全身心地致力于办学事业，社会上誉之为“女武训”。

当时曾有《绥西女武训访问记》的文章分别发表于省办《奋斗日报》、上海《新闻报》，南国、北疆反响很大。归绥掀起一个捐资助学热潮，持续月余。国内知名人士张元济老先生充满激情地写信告诉笔者说：“我已通知朱家骅关注此事”，张老信中有“吾侪空谈改良教育数十载，面对巾帼不禁愧然”等语。接着教育部长朱家骅给资送匾，题词《巾帼之光》，绥省府也为此拨了款。

这时，“不当睁眼瞎子” 已经不是她的办学目的。她向人说：“我现在才知道学文化的重要，以后让娃娃们一定要把脚登上那乌拉山，眼睛上戴个望远镜……”表示了她更高的理想境界。

英士小学随着新中国的建立更加发展了。不幸的是 1951 年在批判武训的运动中刘英士竟成了牺牲品。时年 64 岁。

“长白书院”何处寻

刁可成

在《中国名胜楹联大观》(安徽黄山书社出版)一书中，选录了绥远城“长白书院”一副楹联：

盛世本同文，合左云右玉封疆，息马投

戈,沙漠寝成邹鲁俗;

将军不好武,萃黑水白山俊彦,敦诗说礼,边关长此诵弦声。

撰书者薛慰农,楹联对仗工整,意在宣扬清王朝的偃武兴文、“太平盛世”景象。

“长白书院”何时建立?所指将军是谁?而今院址又在何处呢?

经查“长白书院”是定安任绥远城将军时建立的。定安,字静村,京城满洲镶黄旗人,姓叶赫那拉。同治七年(1868)一月,授绥远城将军,任职六年,是一个比较开明又效忠当朝的封疆大吏。其间,他参加了镇压西北回民起义的活动,但也做了些有利于人民的事情,如剿匪、植树、兴办学校等。同治十一年(1872)他督劝八旗官兵捐建“长白书院”。此外,还建立八旗义塾二十余所。

清制,省有省书院,府、州、县都有书院,设有专门官吏分管教育。当时办学的目的一面是为了使人读书,另一方面是为了使人习礼,学院的位置大多与孔庙相关。

光绪五年(1879)将军瑞联将“长白书院”改名为“启秀书院”。因书院的学生全是旗人,通称“满学”,也叫“新城文庙”。光绪三十年(1904)“启秀书院”改为“绥远中学堂”,后该校合并于“归绥中学”。呼和浩特市新城至今仍留有名为“书院街”的街道。

呼和浩特第一所职业学校

高培萱

呼和浩特的第一所职业学校成立于1924年,发起者是北平中国大学毕业生丘咸、赵堪等人。他们认为开发边疆实业,发展经济,首先在于培养技术实业人才。于是联络地方人士组成董事会,由各董事募集资金办学。租定旧城文庙街土默特总管署所属的房院一处为校址,于同年8月正式成立了西北实业学校。这是绥远地区职业教育之开端。

1925年春,因经费匮乏,学校难以维持下去,教育厅长沙明远宣布收归公办,并改名为"绥远职业学校"。1926年冯玉祥的国民军西退,社会不安定,盗贼蜂起,学校遭到极大的破坏,教学仪器、图书设备丢失殆尽,在学监路作霖主持下,才使学校继续维持下去。1927年学校迁移至新城南街协领衙门旧址,从此,学校才有了固定的校址。1937年秋,日寇侵占了归绥,教职员工不愿当亡国奴,纷纷离开学校,校长杜尚礼也回家乡行了医,学校停办。抗战胜利后,学校恢复,校址移至新城大台什村。

学校初建时,丘咸任校长,以后继任者为苗英、杜尚礼。学校时盛时衰,最困难时全校仅有十八人，人们戏称“十八罗汉时期”。在这种情况下，教职员工在校长苗英的带领下，艰苦创业，努力提高教学质量。又经教育厅支持，和学校自行设法，优待学生，学费免收，灯油、煤火、课本亦由学校供给，每年还给每个学生发单制服一套，每月发津贴费二元，使学生基本上得到半官费待遇，很快学校又兴盛起来。

勤俭办学，是该校的校风。学校筹集到的资金，就全部用在办学上。教务主任田圃在南京紫金山天文台为学校购买仪器，其中一台贵重的气象仪器——水银气压计，是田先生从南京一直小心翼翼地抱回学校的。经过多年的积累，学校的教学设备逐渐增多。在此基础上开辟了各种实验田，建立了科学化的家畜、家禽厩舍，修盖了温室、气象观测站。学校强调学生参加各种实验和实习，以求理论联系实际。校长杜尚礼亲自带领师生种庄稼，饲养家畜家禽，培养优良作物品种和优良家畜家禽品种。并把试验成功的优良作物、家畜品种进行推广，对农村的生产起到了一定的示范作用。附近农民经常成群结队到学校参观。

1949 年绥远和平解放后，人民政府接管了学校。

张伯苓别开生面宣传团结

袁尘影

1936年春夏之交,我国著名教育家、天津南开大学校长张伯苓先生到了归绥(今呼和浩特),应绥远中山学院院长张国宝之请,给该院师生作了一次讲演。我当时是《绥远日报》和绥远新闻社记者,有幸听了这次讲演。张伯苓先生讲演时身着长袍马褂,头戴呢子礼帽和墨镜,身材魁梧。虽说是位教育家,样子却像一位天津大商人。张先生那天讲的题目是关于团结的问题。讲到为什么要团结和如何团结才有力量时,张先生从口袋里掏出一把绳子来,叫五个学生走上讲台,相隔两步,以圆弧形站好,每人各执绳子的一端。张先生站在学生的对面。和他们相距分别不过数米,执绳子的另一端,然后命学生一齐使劲拉,结果五个学生拉了好一阵,张先生却丝毫不动。张先生又命这五个学生紧挨着并排站在一起拉,一下子就把张先生拉到学生那边了。接着张先生对全体师生讲,如果力量分散,即使名义上团结了,还是发挥不出力量来。必须站在一起,拧成一股绳,才会发挥出应有的力量。一场生动活泼具有说服力的表演,博得数百名听讲者经久不息的掌声。

阿尔山的奇特矿泉

冯学忠

阿尔山矿泉位于内蒙古自治区兴安盟科尔沁右翼前旗阿尔山镇哈伦阿尔山脚下。1927年夏，西藏班禅活佛一行二百多人曾到此地游览过。

在这块长800米、宽70米的宝地上，分布着四十八个自然泉眼，分南北两个矿泉群。南泉群皆为冷泉，主要为放射性氡泉，其次为偏硅酸泉；北泉群为冷泉、温泉、热泉及高热泉四种矿泉的混体。主要为重碳酸钠泉，其次是放射性氡泉。这样的矿泉群，国内外均属罕见。四十八眼矿泉水，各有出处，各有品位，冷热殊异，冷的3°—4℃，热的48℃。与德国、土耳其、苏联十二个著名矿泉相比，温差之大，独一无二。据测定，四十八眼矿泉水能有效地治疗皮肤病、运动器官、消化系统和其他系统疾病共三十五种。早在清咸丰三年(1853)，呼伦贝尔副都统衙门佐领敖拉·昌兴、仁钦道尔吉偕同著名藏医、蒙医、活佛、喇嘛和工匠，到哈伦阿尔山鉴别了每眼矿泉的温度和效能，并砌筑三十二个石池，每个池边均竖立刻有满、蒙、藏文的标记。迄今一百三十年间，俄国、日本和国内的化学、医学、地质学家

曾多次到哈伦阿尔山矿泉进行科学考察研究。俄国贝加尔湖畔的布利亚特蒙族居民、外蒙古人、日本人和国内各族人民每逢夏季，便从四面八方来到哈伦阿尔山矿泉洗浴。民国十三年(1924)，在矿泉池边刻制了俄文石碑，在矿泉区筑一座敖包，称"章嘉葛根敖包"，供来此治病的人们供祭。民国十六年(1927)，呼伦贝尔副都统公署官钱局拨款三万元，创办哈伦阿尔山公司，修筑海拉尔至阿尔山的公路。1948 年，中国人民解放军东北军区后勤部卫生部在哈伦阿尔山建立军人疗养院，修建了水疗室和解放纪念碑。后逐年扩建，现已建成为一座规模宏大、设备齐全的医院，称内蒙古自治区阿尔山工人疗养院。

刺刀下的"会考"

张维玉

1935 年"一二九"学生抗日运动后，国民党北平当局除严禁学生结伙上街游行外，还指示各学校加重学生们的学业负担。1936 年春宣布：本年度由北平市政府对高三举行统一的"会考"，会考不及格者不发给毕业证书。想以此来压学生留在学校上课。

我当时在北平志成中学读高三，学校在上司的督导下，对学生的行动严加管束，平时不准外出。我校的会考考场在宣武门附近的一个学校内。当天，校门口站着荷枪实弹、全副武装的宪兵。每个考场的门口和窗前都站着持枪的军警，考场如同法场，许多女同学吓得拿笔的手都在打颤。考完第一场出来，大家悄悄说："我们是考生，还是囚犯？"

这次刺刀下的会考，给我和我的同学留下终生难忘的恐怖印象。

江亢虎、胡适在绥远

袁尘影

1935年7月，被毛泽东主席称为"中国早期社会主义者"(见《西行漫记》中毛泽东与斯诺谈话)、当时任湖南尊孔学院院长的江亢虎(1883—1954)，与"五四"新文化运动风云人物，当时任北京大学文学院院长的胡适(1891—1962)，先后到了归绥(今呼和浩特)。一个大讲"尊孔读经"，"中学生以上必须读写文言文，方能救国"。另一个则大讲"中国人民贫穷、愚昧、落后"，应该受帝国主义者的"欺凌、压迫"，甚至把"九一八"事变说成是我们"自找的"，要学生"埋头读书方能救国"。我，一个当时不满21周岁的青年，听了江、胡讲演后，激于义愤，曾写一篇题为《驱逐江亢虎、胡适出境》的文章，准备在我主编的《绥远社

会日报·新绥远》副刊发表。稿已发排,但被看大样的《绥远社会日报》总编辑、我的舅父杨令德先生临时抽掉,并狠狠地申斥我一顿。杨先生不愧是一位民主爱国人士, 他把这篇文章进行删改后,换了个《胡适之与江亢虎》的题目,还是在他主编的《绥远民国日报·十字街头》副刊上发表了。文章除驳斥江、胡二人的谬论外,还揭露了胡适前不久在香港大学讲演时说的“香港是西南文化的发源地”。

江、胡在归绥期间,归绥市商会会长贺秉温附庸风雅,竟把这两个“冤家对头”,一起请去吃饭。胡适在宴席上对江亢虎说:“我不打死老虎!”弄得市侩主人贺秉温和江亢虎十分尴尬,一时成为笑谈。胡适于1962年在台湾病逝。江亢虎则在抗日战争时期, 曾任汪精卫伪政权考试院副院长。抗战胜利后,据说当了和尚,解放后,被缉拿归案,1954年死于狱中。贺秉温曾任日伪厚和(今呼和浩特)市市长,抗战胜利后,被判处死刑。

活佛的医疗事业

王兴贵

嘎拉僧普日来扎木苏是巴林右翼旗阿贵庙的活佛, 这是第九世班禅来大板荟福寺传经时封的。

嘎活佛曾经到青海塔尔寺学经修身，特别注意学习藏传医药经典，回来后，行医治病，疗效显著。有时走出庙门巡诊，很受黄人(喇嘛)黑人(非喇嘛)的敬重。1945 年内蒙古东部解放，人民政府落实宗教政策，让他继续主持喇嘛教务。是时，巴林草原疫病流行，人民群众的健康和生产、生活受到很大影响。人民政府发出“打仗、生产、防疫”三大号召。嘎活佛目睹草原缺医少药的情况，深感苍生可悯，遂响应政府号召，决心联合蒙医，建诊所，开药店，以济世活人。1946 年下半年，他走出庙门，四处化缘，谦恭卑下，不啻乞丐。短短几个月，便募集七百只羊，七十多头牛，八十多匹马，卖畜买药，辛勤倍至。1947 年 1 月 8 日，活佛的诊疗所成立，药店开张，当时称为“大众诊所”。远近牧人均获其益，盛赞活佛功德无量。

艺苑折枝

马头琴

文浩

在草原上流传着一个有关马头琴的传说：一个穷牧人的孩子得到一匹可爱的小马驹，他们相依为命，牧主知道了，把马驹抢了去。正当牧主大宴宾客，夸耀这头宝马时，马驹挣脱了缰绳朝小主人家跑去。牧主令人向它放箭，小马驹回到主人身旁时，倒地而死。小牧童按照马驹所托之梦，用马骨做成琴柄，绷上马皮，用马尾做弓弦，制成了一柄琴，于是草原上出现了马头琴。著名诗人戈非满含深情地写了一部长诗《马尾弦上流下来的歌》，即叙其人其事。

考证起来，马头琴应当追溯到12世纪成吉思汗时代。当时称它为“朝尔”(译为琴)。朝尔是用整块木头刳成勺子形状，后经世世代代的工艺发展，到民国初，开始用桐木锯成四块板，拼粘成音箱，如梯形，蒙上马皮，显贵者则用蟒皮。蒙古人出于对马的崇拜，在琴头上雕成马头，故称马头琴。蒙古语仍叫朝尔。

哲里木盟科左中旗曾出过一位杰出的马头琴艺人，名叫色拉希，他继承了古老的说唱演奏形式，在内容上多是讲“茫格斯”(神话史诗等叙事诗)，也演唱一些小段子，很受群众欢迎，往往整夜唱，听者唱者均欲罢不能。色拉希在拉唱中，痛快淋漓地揭露丑恶势力、作奸犯科之人，抨击奴隶主作威作福之事。有时也道出钟情的青年男女的心声。马头琴经久不衰，与植根于生活的土壤大有关系。

色拉希踏遍草原，献歌献艺，他拉琴技艺娴熟，歌吟流畅，遣词用语巧妙，且合辙押韵，有声有色地叙说故事情节。许多文学研究者，认为是值得研究的民族民间文学。

解放以来，党和政府组织艺人学习，培养人才，继承和发扬民族传统技艺。文革前，桑都楞的马头琴演奏，给人们以深刻印象，他计划把桐木音箱和马尾弦弓加以改进，可惜在进行当中他就过世了。

当今，著名的马头琴演奏家齐·宝力高，把马头琴演奏改为交响乐式的独奏、伴奏、协奏、合奏。他近年来演奏的《万马奔腾》之所以具有磅礴气势,与他的改革有关。他仿交响乐队,把常用指法改变成分弓、连弓、快弓、抖弓、跳弓、弹弓等等,指法技巧有颤性、滑音、柔弦、拨弦,准确地用指甲触弦,发出颇具厚度的音响,比旧式更见深沉悦耳。齐·宝力高组织他的马头琴手们跨海东渡到日本各地演出,还参加了亚运会的演出,给亚洲各国运动员们留下了美好的印象。

祭神舞蹈“娜若卡吉德玛”

李宝祥

佛教密宗祭神舞蹈“娜若卡吉德玛”,流传于喀喇沁旗善通寺。据初步调查,它源于西藏,传入善通寺约有二百年的历史了。

据传“娜若卡吉德玛”是一位能驱逐宇宙间的邪恶,给人间带来吉祥与幸福的护法女神,具有伏恶之力、护善之功。善通寺的“娜”舞,是由8位小喇嘛扮成仙女的形象,在“娜若卡吉德玛”神像前表演的祭祀舞蹈。它自始至终洋溢着一种庄严、肃穆、神秘的宗教气氛。主要表现在纷繁多变的“密印”(也称“手印”)上。通俗地讲,就是通过十指动作的变化来表达人的思想感情与意愿。“娜”舞中有四十余种“密印”手势,可谓丰富多彩。“娜”舞的内容及程序由六部分组成,即顶礼、献供、忏悔、庆喜、请转法轮、清不涅槃。

1985年底，在全国政协常委、赤峰市政协副主席苏赫同志提供了重要的线索之后，赤峰市文化局和喀喇沁旗文化局便开始了这一遗产的抢救、挖掘工作。经过三年的努力，终于将这一宗教艺术珍品抢救出来，经过整理，发表于《内蒙古民族民间舞蹈资料集汇编》第一辑中。

赋诗赞亲王

白燎原

阿拉善旗第六代第七位札萨克亲王贡桑珠尔默特，执法严峻，不稍宽贷。清同治二年(1863)，有宁夏难民避陕甘兵燹，逃至阿拉善旗边境，被守关边卒图财害命。贡桑珠尔默特闻知大怒，立将恶卒枭首示众，以儆效尤。从此，吏卒震慑，奉职惟谨。时有王府幕僚(佚名)赋诗五章志此事，并颂王德。诗曰：

"君王慈惠本天真，况遇流离避难人；关弁忍心为暴厉，竿头枭示谢冤民。

可怜黎庶祸频遭，胆落烽烟望影逃；凡属生民皆赤子，忍容凶手妄操刀。

不因仇怨为攫金，恼煞仁人一片心；魑魅难逃秦镜里，关门枭示谢魂阴。

天本好生膏泽施，君王威惠信无私；恨

将人命当儿戏，立见雷霆震怒时。

有文无武类侏儒，有武无文不丈夫；除暴安良文且武，歌功颂德遍通衢。

妆催红叶倚楼诗

任　琪

燕乳莺娇喜结邻，碧栏杆处草如茵。榆钱满地，谁道我忧贫。结网蜘蛛犹织恨，拖花蝼蚁也留春。韶华弹指，况有倚楼人（《暮春·琴调相思引》）。

如是绝妙好词，作者为谁呢？此乃赤峰举人赵玉丰的手笔。

赵玉丰，原赤峰县步步屯乡四道杖房村人。九次乡试不第，心灰意冷。咸丰九年(1859)因事去承德，事毕将返，亲友得知，劝其再参加乡试。试毕，未及发榜，旋即返里，中途得捷报，口吟一绝云："惭愧龙门跋浪难，十年鬻赋向长安。至今脱掉青衫看，尚有刘蕡泪未干。"此后，接连数次参加会试，俱未第。按清朝规定，凡举人参加三次以上会试未第者，可选拔为知县，或丞尉等官，名为"大挑"。同治七年(1868)大挑时，赵竟被选中，派往福建去做知县，因路远亲衰，告假归里，为此吟诗一首，中有句云："鹤俸由来不疗贫"；又于《签分闽省假归》(调寄《柳梢青》)词中云:“何须远上蛮溪,况近日咚咚鼓鼙。卸却朝衫,换将草笠,未算狂痴。”此后,赵即移家于赤峰近郊——东园子,过起教书育人和卖文为生的隐士生活。咸丰十一年(1861)前后,石印出版《泥莲书室吟草》四卷。赵氏诗集,曾在赤峰上层人物中间广为传阅,由是引出一个雅号——赵倚楼。后来,其好友、当时任县衙师爷的顾际盛,在其续娶时赠有一联为:“黛染青螺承旨笔,妆催红叶倚楼诗”,把这一雅号运用在贺诗中,十分贴切,且生动有趣。

赵玉丰虽逝世多年,但其遗著四卷,却给赤峰人民留下了一笔不可多得的文化遗产。

顾际盛在赤峰

任　琪

顾际盛,字画省,原籍江南,于1858年(咸丰八年)随赤峰县知事谷兰来赤峰,为幕僚,主管文牍。与赤峰举人赵玉丰最为友善,盖以其“推敲有同癖,蹭蹬有同慨”之故耳。其为人性奇冷,身形瘦削,独诗酒之会,则终宵不倦,著述诗文甚富。1861年敖汉金厂沟梁工人起义,攻入赤峰县署,其诗文稿全部被焚。在此之前,赵玉丰曾借阅全部诗稿,择其优佳者录为两册。顾诗被焚,此抄本独存,后为友人借阅,几至遗失。为此赵

氏曾写一诗，中有句云："故友长留绝妙辞，传抄几被六丁追。忆曾商订千秋业，亲为删存两卷诗。"又云："吉光片羽人间少，从此巾箱好护持。"赵氏死后，此稿也散失，诚为可惜。

1861年2月，赵氏《泥莲书室吟草》诗辑成，顾为作序，对赵氏为人以及诗作，都有评论，此其仅存之一篇遗文。此外尚于赵氏诗中保存了部分残句，如："倒持旧手版，千谒东诸侯"，亦可概见其风格。顾氏卒于1861年。

赵氏在其《吟草》中，有关赠顾、哭顾的诗不下十数首，俱皆缠绵悱恻，可见其交谊之笃。

陈志仁与绥远新文化运动

陈梦贞

陈志仁，字之的，1902年生于萨拉齐县的一个农民家庭。1919年他考入北大中国文学系，成为绥远第一个考入北大文科的学生。

在学校中，陈志仁经常阅读《新青年》杂志，联络在北京的绥远学生组织起"绥远旅京同学会"，并出了小报《周刊》。陈以自己接受的新思想，针对绥远的实际问题，在《周刊》上发表文章抨击绥远都统马福祥，声援地方人士。为扩大影响，唤醒民众，陈志仁与在京绥远学生排演了《孔雀东南飞》、《一元钱》、《爱国贼》等"文明戏”。1922 年暑假，他们回到归绥(今呼和浩特)，借用旧城大西街“同和戏园”首次演出《孔雀东南飞》，获得成功。他们将收到的捐资赞助款一千三百多元全部作为办平民学校的基金。

1925 年陈志仁从北大毕业，先后在归绥师范学校、绥远中山学院、绥远农科职业学校和绥远省立归绥中学任教。内蒙古老一辈革命者杨植霖、苏谦益等同志就是陈志仁在中山学院时的学生。1929 年陈志仁担任了教育厅所属的绥远社会教育所所长，致力于平民教育。他创办的《通俗日报》，先后由富良云和杨令德任主笔和主编。1935 年 4 月，陈志仁再度担任绥远民众教育馆馆长，聘请杨令德为馆报《社会日报》总编辑。《社会日报》还出了副刊《洪荒》，专门刊登文艺作品，先后由袁尘影、章叶频任编辑。这样，《社会日报》充当了绥远国民党左派发表政论的喉舌和进步青年发表文艺作品的园地。如杨植霖就以杨雨三的笔名在《洪荒》上发表了新诗和《真战士的态度》、《死硬派》等杂文。

抗战以前，陈志仁为支持进步文化工作还出钱资助郭灵墅、杨令德等创办了“绥远新闻社”。绥远民众教育馆管辖的“九一八”纪念堂，在陈志仁担任馆长后，成为名副其实的抗日救亡场所。购置了《资本论》、《国家与革命》、《无产阶级革命与叛徒考茨基》、《母亲》、《十月》、《列宁的回忆》等书刊，使图书馆也成为宣传进步思想的阵地。

1949年,陈志仁四处奔走,为绥远和平起义做了许多工作,是通电起义的39位签字人之一。

李氏家门关羽戏

赵纪鑫

提起著名京剧表演艺术家李万春先生过去演出的关羽戏,很多老观众至今仍是赞不绝口。虽然早在1790年四大徽班进北京,京剧创始人程长庚和前辈名宿米喜子等艺术家就开始演出《白马坡》、《战长沙》、《华容道》等少数的关羽戏,但那时候演关羽在表演上受"关圣帝君"的神化影响很深,清规戒律较多。李万春先生首先打破当时"不过五十岁不演关公戏"的旧俗。他在十三岁那年搭著名武生俞振庭创办的《斌庆社》科班时,俞先生就破例为李万春排演了一出《关羽出世》,从《大罗天宫》起到《斩熊虎》止,上演之后一炮打红。当时各报刊评论称李万春为"小老爷"。从此李万春便登门求教擅长演关羽戏的艺术名家程永龙等人。但李万春从不局限于传统旧套,为塑造好关羽人物形象,他精心研究《三国演义》,并结合自己优厚的嗓音天赋条件,扮相英俊的特点,武功深厚扎实的艺术优势,在继承传统的基础上,博采众长,大胆创新。他从《关羽出世》、《桃园三结义》一直演到《走麦

城》、《捉潘璋》、《捉吕蒙》等近五十出关羽戏。有的剧目被人们称为李派艺术拿手佳作。李万春先生在艺术上从不保守，毫无保留地传授给他人，所以李派艺术传人甚多，仅他胞弟和后辈就有十几位。

李万春二弟李桐春和五弟李圜春都是著名武生，现在台湾蜚声剧坛。三弟李庆春后学花脸工武丑，早在40年代初，因演《济公传》红极一时，当时有“活济公”之美称；经李万春传授也擅演关羽戏，他的《古城会》、《走麦城》在刻划人物内在情感上独具特色。李先生长子小春、次子卜春受其父亲传指教，他们扮演的关羽从脸谱、服装、唱腔、造型、身段、念白等方面既把握人物不同时期的风度气质，又吸收其父之艺术神韵，演得颇见功力，十分精采。李小春临终之前仍带病粉墨登台，在呼和浩特工人文化宫演出《古城会》留下了最后一个关羽剧照。

1991年3月李庆春先生应李桐春和李圜春兄弟之邀，赴台探亲期间，兄弟三人同台演出《古城会训弟》。李桐春饰关羽，李庆春饰张飞，李圜春接替已故大哥代演刘备。台湾电视台特地为他们拍摄了这出戏，实现了李万春先生的夙愿。据李庆春先生介绍他二哥扮演的关羽身段动作很讲究，尤其是念白语气上讲究轻、重、缓、急、高、低、长、短，吐字清晰，好多表演都具有李万春的风采，演出了关羽的刚、猛、勇、儒的形象。如今李庆春先生年过花甲退休安度晚年，

李小春虽然病故，但李小春之子李晶、李卜春之子李磊又继承李派艺术，成为京剧武生一代新人，初露头角，李氏家族四代梨园为京剧事业做出了出色的贡献。

记西北晋剧学校

侯广峰

全国解放以前，山西梆子的艺术培育方式，只有师傅带徒弟的个体教学活动，而以专科学校教育形式培育晋剧艺术人才的，实自西北晋剧学校开始。这个学校的地址在张家口市。

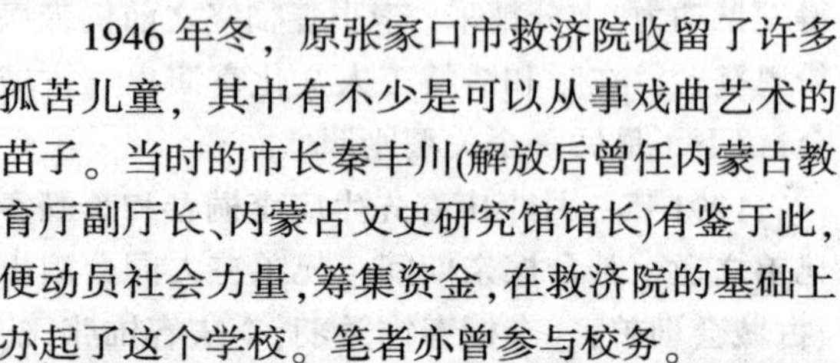

1946 年冬，原张家口市救济院收留了许多孤苦儿童，其中有不少是可以从事戏曲艺术的苗子。当时的市长秦丰川(解放后曾任内蒙古教育厅副厅长、内蒙古文史研究馆馆长)有鉴于此，便动员社会力量，筹集资金，在救济院的基础上办起了这个学校。笔者亦曾参与校务。

该校以田汉发展戏曲的道路为蓝本，以提高新文化素质为基点，确定文化素质与艺术素质同步发展的方针，专门聘任了文化课教师，安排必修的文史课业。特从北平约请了晋剧大师李子健(四小名旦之一的李世芳之父)任名誉校长。李对山西梆子持革新态度，开设了艺术理论课，并担任主讲教师。

在该校任教师的还有南定银、田月楼、王福寿、李春来等晋剧名流到校授业。此外,李少春、袁世海、高玉倩、喜彩莲、常宝堃诸名艺人以及“四维剧校”的老师们,都为该校义演或传艺,异彩纷呈,丰富了该校的教学内容。

西北晋剧学校对学生分行当教学, 注意发掘特殊人才,因材施教。该校培养出来的学生如米西治等在内蒙、河北、山西等地艺术专业团体,发挥了骨干作用。

民间泥塑艺人麻九渊

关和璋

麻九渊,山西太原人。清朝末年,因灾荒逃出口外,到绥远城(今呼和浩特市),以画匠为生。擅裱糊、纸扎、窗花,尤长于泥塑。其法系先以胶泥塑成人物鸟兽浮雕,然后再以澄泥(沉淀土)拓为模具,阴干入火烧之,使如陶瓦。制泥塑之泥乃将粘土再三淘洗澄之(此泥极细),再加入麻纸浆,反复捣练摔打,约百数十次,使之绵软如面。然后入模,制成浮雕坯子阴干,用白土加胶矾水刷底色,俟干加以彩绘。其颜料为水色,即染料中之品红、品黄、品绿、品蓝、大红、藏青等。再加国画颜料之赭石、胭脂、香墨、金银粉等,用胶水调之。绘制完毕,俟干透,以鬃毛刷刷之,即光亮

艳丽，生动逼真。题材方面，人物以戏曲为主，如：《白蛇传》、《盗御马》、《甘露寺》、《三娘教子》等。也有佛像如：观音、财神。花鸟方面有麻雀、黄莺、伯劳、红靛、兰靛、鸽子、鹰鹞、公鸡、凤凰、仙鹤等。动物无非狮子、老虎之类。以上均能形色逼真，栩栩如生。背面有小绳可悬挂于墙上，俗称“挂人”。

麻九渊所制的泥塑浮雕“挂人”，每当呼和浩特市各种庙会，即设摊出售，城乡居民争相购买。每年约售数百件。又有数百件作品由旅蒙商驼队运至蒙古大库伦(今乌兰巴托)出售，亦颇受欢迎。

1956年中国美术家协会内蒙古分会成立，笔者曾对麻九渊进行了访问，探讨其艺术成就，后被美协吸收为会员。麻于1966年逝世，享年八十余岁。十年浩劫中，所遗泥塑模具均被砸烂，其艺遂绝。

麦新和他的《农会会员歌》

晓　钟

激越雄壮的《大刀进行曲》至今仍是人们喜爱的革命历史歌曲。“大刀向鬼子们的头上砍去……”，曾经激励过多少个抗日健儿驰骋疆场，英勇杀敌。

它的作者，被誉为“人民音乐家”的麦新同志，抗战胜利后，千里跋涉从延安来到科尔沁草原，在开鲁县先后担任城关区委书记和县委宣传部长、组织部长等职。

麦新是上海人，但他来到草原后，日夜奔波在山乡村镇，深入田间、炕头，很快就熟悉了草原的风土人情。他和贫苦农民一起啃窝窝头，喝小米粥，有时甚至吃野菜，倾听贫苦农民讲述他们的悲惨身世和贫困处境。1946 年 8 月间，麦新下乡到了六区区政府所在地小街基，和农民一起住在破草房里，率领他们开展减租减息、反霸除奸的斗争。根据群众喜爱的东北民歌小调，他填写了“农会会员歌”：

穷人穷，为什么穷？
打下粮食归地东。
吃粮还要五分利，
官工羊草几十个工，
年年穷，辈辈穷！
……

这首歌，不几天就在小街基传唱开来。它不久就传遍了全开鲁和科尔沁草原，飞向辽阔的东北大地，激发了群众斗争的热情。1947 年 6 月 6 日，麦新同志被反动武装杀害后，当地群众满怀悼念之情，将他葬在开鲁，并把其葬身之地命名为“麦新镇”。

我的刺绣作品在加获金奖

李申藩

“铁距金眸雄骏姿，托身偶上最高枝。风尘澒洞乾坤小，独立苍茫有所思。”这是我刺绣作品《松鹰图》上的题诗。

1936年，加拿大太平洋西岸的温哥华市建市50周年，要办个展览会。华侨倡议搜集中国艺术品参展，其中我的刺绣作品《松鹰图》，获得了金奖。

当时，我在北平美术专门学校刺绣高级班学习。是年铁道部将在北平清代太庙(今劳动人民文化宫)办一次全国物产展览会，北平市要为参加这次会作准备，就在春天先办一个北平市物产展览会以便遴选展品。当时我们刺绣高级班学的是丝绣，作品所需面料均是丝缎，线是细如发丝的丝线。用中国工笔重彩画作绣稿，较绘画更具有独特光彩，色样错落变化，婀娜多姿，具有高度观赏和收藏价值。市社会局承办人为展出遴选精品，学校推荐了我的作品，不想竟得了奖；最后社会局又用此作品参加了全国物展，又得了奖。

同年夏，我毕业了，全国物展也闭幕了。一天，有位艺术界前辈吴南愚老先生来访，方知他是我两次得奖的评定人之一，他告诉我，参加加拿大展览由当时名流江亢虎负责在北平搜集作品，他已向江推荐了我的刺绣作品，说着又拿出了写好的介绍信，叫我携带一些作品去见江。我照办了，江看了作品，沉思一下笑道："中国刺绣誉满世界，但在加拿大展出还是首次，欢迎你的作品参展，并希望你作为参展团成员一同出国，在展场作即兴表演，会后还要去美国各大城市宣传中国刺绣艺术。"当时我才十八岁，不敢出国，便谢绝了。只将作品请江带去。同年末，江亢虎回国，带回了此次展览会上颁发给我的金奖证书。

阿拉坦汗的传人

甄可君

明代土默特部首领阿拉坦汗 (亦称俺答汗) 受封为顺义王。清初,其后裔被贬为庶人。直到康熙亲征噶尔丹叛乱,驻跸于归化城,为安抚土默特蒙古族, 赏赐阿拉坦汗后裔一个闲散“台吉”的虚衔,让其恪守后山产业,以养天年。

乾隆年间,袭闲散台吉的喇嘛扎布,将逃亡土默特部的外蒙叛清将领青衮扎布擒获, 送交清廷,清廷为此赐予辅国公爵位。

这个辅国公爵位, 一直世袭到阿拉坦汗第十三代传人色楞鲁勒精扎布。他是光绪二十七年(1901)继承的,翌年又晋爵为镇国公。色楞鲁勒精扎布年轻时毕业于北京蒙藏学校。“七七”事变后,伪蒙疆政府德王、李守信曾多次请他出山参政,并有半年时间每月都把薪水送到他家,他婉言谢绝,并躲到美岱召或后山的大公村闲住。

色楞鲁勒精扎布之孙是阿拉坦汗第十五代传人。他出生后,祖父给他起名叫“默王”,上学时老师为他起学名肖秀龙。他现为呼和浩特市政协委员,曾把自己珍藏的“土默特镇国公”印信和“绥远省土默特镇国公府”的印信两方献给了土默特左旗文物部门。

僧格林沁的后裔

达瓦敖斯尔 文　谢蕴珍 整理

僧格林沁殁后,其长子伯彦讷谟祜贝勒,袭博王旗(现称科尔沁左翼后旗)札萨克职位和亲王爵位,并被清廷先后授予御前大臣、军机大臣、领侍卫内大臣、九门提督、崇文门监督等要职。伯王在位四十余年,位极显赫,能发现和使用人才,在内外蒙古诸多王公中,其权势可算首屈一指。

那尔苏是伯王的长子。体格魁伟,一表人才,天资聪敏。他精通蒙汉文,擅长诗词书法,所写楷书、草书挺秀潇洒。那尔苏因祖父辈的恩荫和权势,不到二十岁就当上了朝廷乾清门侍卫,三十多岁死后被破例追封为亲王。

阿穆尔灵圭是那尔苏的长子,六岁就承袭了王位,成年后掌管旗政,颇受清廷重用。民国成立后,阿王矢志不当民国的官,袁世凯任他为蒙藏院总裁,被拒绝了。阿王于1930年病故。

和希格贝子是阿王的独生子,是僧格林沁的第五代孙,民国元年被封为辅国公。1930年阿王逝世后,接任科左后旗札萨克,而未能承袭博多勒噶台亲王爵。和希格为人懦弱无能,志气才干远不如祖辈,但也能写一手像样的楷书。中华人民共和国成立后,一直在北京工作生活。

贻谷的利民措施

李西樵

清末,清政府决定开放蒙垦,光绪二十七年(1901),兵部左侍郎贻谷被任命为“督办蒙旗垦务大臣”,次年,他又被补授兼任绥远城将军。

当时,不少官员由于待遇优厚,生活安逸,养成了一种游惰腐败风气,他们终日沉湎于声色犬马,不思自拔。贻谷在当时的满族官员中是一位精明干练颇有作为的人,他坚贞自励,勤恳任事。在绥远任职期间,除了办理蒙地放垦事务以外，还为地方办了一些值得称道的事。

绥远地处边塞，文化比较落后。贻谷到任以后，对教育特为重视，为了培养人才，他先后在绥远、归化两城和土默特旗，办起了中学堂、高级小学堂以及“满蒙学堂”、“武备学堂”等，还发动开办义学(私塾)二三十所，吸收了大批满、蒙、汉各族子弟入学就读。他对学堂教学工作要求严格，经常亲自到各学堂视察，对成绩优良的学生进行奖励，有的还被保送到外地甚至出洋深造。

贻谷还特为驻防在绥远城的满洲八旗官兵生计着想。因八旗官兵及其家属均来自关外，他们的生活依靠朝廷发给俸饷，除此别无来源。当时，清王朝处在风雨飘摇之中，贻谷为了给满民谋求未来的生计，特从未放垦的土地中拨出一千余亩，由旗民认领耕种。与此同时，他还向朝廷请拨巨款，在归化、绥远两城设立工艺所，招收青年入所学艺；筹办旗民生计处，设立织布厂、织带厂、八旗官木厂、皮房、缸房以及工艺局等，培养满民子弟的生产技能。另外，他还教民习勤崇俭、戒除不良嗜好，倡导植树造林、疏浚沟渠，以及劝课园圃，种植蔬菜等。

贻谷在绥远前后共七年，光绪三十四年(1908)因参奏归化城副都统文哲珲侵吞库款一案被诬陷下狱，直到辛亥以后才被查明昭雪。他在绥远任职期间所举办的各项利民措施，长期以来为当地人民尤其是满族同胞交口称赞、津津乐道。

“禁卫军”汉人统领王廷桢

王学愚

清末作为皇室拱卫军队的“禁卫军”，是光绪二十九年(1903)开始命名组建的。此军在当时是全国最精锐的部队，其统领却不是满人，而是汉族的王廷桢。

王廷桢，字子铭，生于光绪二年(1876)，是笔者的先伯父。我们是世居天津的汉人。他以汉人而得任原应由朝廷亲贵担任的高级军职，是一特例，但也是当时时代背景和他个人机遇造成的。19世纪末，王廷桢入北洋水师学堂学海军，除军事学科外也学了一定的技术。毕业后入北洋兵工厂任绘图员，后又入北洋武备学堂学陆军。光绪廿五年(1899)，掌管军事的北洋大臣荣禄命令该学堂选拔优秀生三名去日本陆军士官学校学习，先伯父中选。毕业回国后被留京规划建立禁卫军事宜，同时充任该军教习。其间他译述了大量的日本军事科学书籍和军队规章制度，因其知识和经验广泛，办事认真，从而得到皇帝重视，他的职位也就随着禁卫军的壮大而不断升迁。不但当了第一协协统，还兼任第二协协统，并先后被授为镶白旗和正黄旗都统。

先伯父与宣统帝的叔父载涛交谊甚笃。载涛曾任禁卫军总统,对先伯父的才干颇为赏识。宣统三年(1911)被派往欧洲考察军事,英国出版的英文版《中国名人录》一书曾刊载他的简历。

先伯父晚年弃官闲居,多次捐款兴办教育,曾任天津南开大学校董。"九一八"事变后,日本曾想请他出山掌管华北伪政权,被他拒绝。

陶克涛胡机智突围

佈　林

20 世纪初的 1906 年至 1909 年间,内蒙古东部科尔沁部郭尔罗斯前旗,发生过因土地问题引起的陶克涛胡(1863—1922)事件。整个事件虽仅历时三年,但曾轰动了当时朝野。东三省几任总督为镇压陶克涛胡为首的数十名武装分子,曾先后动用成千上万军队,组织过百余次围歼战役。陶克涛胡一伙最后因寡不敌众,于 1909 年遁入沙俄境内,陶本人 1911 年又亡命外蒙古,1922 年在乌兰巴托去世,终年 58 岁。

陶克涛胡一伙都是骑马行动,所以灵活神速,官兵往往望尘莫及,因而他们虽被官兵包围过多次,但每次总能脱离险情而安然无恙。有一位当时与陶为伴的老人(外号叫昂代王),事败后为避难移居到齐齐哈尔附近。因他儿子在蒙旗师范读书，于是每星期六他都专程到校看望，同学们常围住他请他讲故事，从他嘴里听到许多陶克涛胡等人东奔西突的历险经历。其中有两件机智脱险的奇闻，听后令人拍案叫绝。

有一次他们一伙被张作霖派兵围困于兴安岭索伦山密林深处数日，他们虽然随身带着粮米，身边也有现成的山泉水和燃料，但携带的铁锅已被追兵打碎，无法起灶做饭。在这饥肠辘辘的紧急关头，有人想到利用所带的一个挤奶用的木桶来做饭，但木桶不能用火直接烤炙，他们解下许多马鞍上的铁制马镫，在篝火上烧红，把木桶内的食米洗净泡好，然后将烧红的马镫一个个投进木桶内，如此循环几次后，木桶里的米便被烧成了干粥，吃饭问题就这样解决了。

还有一次被张作霖部队围困于突泉县城(今兴安盟境内)，处境极为危急，他们发明了一种突围办法。将城里大小店铺所储存的各种鞭炮全部集中起来，用绳子系于一匹马的光板鞍子上。到夜深时分，点燃鞭炮，将这匹马从南门驱赶出去，马身上的鞭炮连响不停，马被吓得魂不附体，拚命奔跑。这时县城其它各门的官兵，均以为陶等人正从南门突围，匆忙向南门涌去，陶却率部急从北门逃遁，使围城官兵徒劳一场。

孙中山视察京绥路

张树桂

京张铁路 (北京至张家口) 始建于1905年10月20日,1909年9月24日全线通车。按照向西展筑的计划,在张家口成立了张绥铁路局,1911年修到山西省阳高,1915年通到今内蒙古境内的丰镇,1921年5月修到绥远 (今呼和浩特)。

袁世凯窃取了辛亥革命的胜利果实以后,委任孙中山先生为全国铁路督办, 筹办全国铁路。其间,中山先生视察了国人自筑的第一条铁路——京绥铁路。

1912年9月24日晨,中山先生从西直门车站乘车去张家口,一路上对沿途铁路注意察看,下午到达张家口站南大湾道起点处(今茶坊站附近)下车,步行勘察入站。京张、张绥铁路局(后合并为京绥铁路管理局)负责人及站、段员司等齐集车站热烈欢迎。中山先生向欢迎群众挥手致意,合影留念(照片曾在詹天佑纪念馆展出),然后到张绥铁路局听取和询问了张绥铁路施工进展情况后登车返京。

中山先生所到之处,反复强调修筑铁路的重要性。他说:“今日之世界,非铁道无以立国。

国家之贫富，以铁路多寡而定；地方之苦乐，以铁路远近而计之。人无手足为废人，国无铁路为废国。余现全力策划铁道，即为国家自存之策。”中山先生始终把铁路看成是国家的命脉。

是非参半话齐王

厚 和

齐默特色木丕勒，是哲里木盟的最后一个盟长，是郭尔罗斯前旗的最后一个亲王。他是“旗祖”固穆的第十一世孙，二十三岁时继承祖父图普乌勒济图的爵位，袭任郭尔罗斯前旗札萨克辅国公。后又晋升为哲里木盟盟长，总领十旗，号称“十家王头”。光绪三十二年，加封镇国公，成为东部三大王公之一。

民国元年(1912)，科右前旗郡王乌泰，联合科右后旗镇国公札萨克拉喜敏珠尔、札赉特旗贝勒札萨克巴达玛喇布坦，发动武装叛乱，宣布“独立”。当时齐王拒绝了乌泰的秘密联络，派王府协理台吉多尔济，前往劝止“独立”，以盟长名义发出文告，要求各旗札萨克不许附逆(见吉林省都督陈昭常呈文)。由此齐王的爵位不断升迁，陆续封贝勒、郡王、亲王(清代对蒙古封六个爵位：一、亲王，二、郡王，三、贝勒，四、贝子，五、镇国公，六、辅国公)，统领二十三旗。

齐王于民国二十年(1931)投靠了日本帝国主义,他通过王爷府的外事代表苏玉书、白玉珠等人,结识了日本关东军特务富田太郎和一名伪装成喇嘛的日本特务博多野。通过这两名日本特务向日本关东军司令部联络。“九一八”事变后,齐王就公开倒向日寇了。

1932年,在日寇的指使下,齐王在郑家屯召开了哲盟十旗王公会议,提出了24个蒙旗王公所谓恢复帝制的《备忘录》:一、恢复帝制;二、拥护溥仪当皇帝;三、坚决支持成立“满洲国”。当年2月17日,在长春成立了“东北行政委员会”,齐王被指定为六个委员之一。不久齐王代表哲盟迎接溥仪来长春就职。1932年3月9日,齐王应邀参加了溥仪就任“执政”典礼。伪满国务院授予齐王“开国功臣”的称号,给他颁发了伪满洲国“建国功勋章”,并提升为兴安总署的总长。1934年11月9日,被任命为伪满国务院蒙政部大臣。三年后,又改任“新电业株式会社”总裁。

1942年齐王病死于长春。

蒙古族武术家云连生

史银堂

云连生(1877—1940),蒙古族,自幼嗜武。经数十年刻苦钻研,内外功兼修并进,对阴把枪法与八卦剑法尤为精通。

青年时期的云连生血气方刚，常爱打抱不平。一次,他替父亲赶车往归绥运皮毛,上坡时遇归绥的二十多辆马车横挡运路，车倌们正在埋锅造饭。云连生一起的十来辆车过不去,好言相求,但那些归绥车倌依仗车多人多,怠答不理地笑道:“等我们吃完饭再腾路吧!要着急就把我们的车舁到辙外也行！”云连生听后不露声色地说:“好,我来试试。”于是他手把马车的后辕,丹田运气,一下把满载货物的重车,借马背之力,舁起放到辙外。那些归绥车倌一见如此情景,无不胆颤心惊,赶紧把他们挡路的车赶到辙外,并赔礼道歉。

光绪二十六年(1900),云连生的师傅郭举浤因不满帝国主义传教士的侵略行径，在萨拉齐组织起义和团,云连生是其中的骨干。他先后参加了攻打小巴拉盖、小淖儿等天主教堂的战斗。在攻打二十四顷地天主教总堂时，云连生登上钟楼,一手抓着一个“老洋魔”,一手抓着一个华人“教棍”,要然后把他们提着跳下楼来。

民国年间,云连生以传授武术为业。出其门下的高徒有吴桐、杨植霖、陈培、李作枢、纪希圣等人，其中吴桐曾在全国武术比赛中荣获拳术组冠军。

吴桐打擂

王万金

吴桐(1899—1962),字子琴,乳名旺小子,内蒙古托克托县人。我国杰出的武术家。他练的八卦、太极、阴把枪被誉为三绝。

1928 年 10 月 10 日, 在南京举行全国武术第一届擂台赛(也称国术国考),吴桐代表绥远前往参赛。

在金陵古城,高手荟集。经过十多天的淘汰赛,吴桐轻取对手,进入了决赛。

在最后的决赛中, 同他对阵的是一位山东拳师。此人阔肩厚膀,体壮气粗。在上场前就走到一根柱子前,大喝一声,几掌打到柱子上,发出嘎嘎嘎的声音。从他的掌功,吴桐断定对手是练“铁沙掌”的,就严阵以待,谨防有失。二人交手后,山东大汉精神集中,力量贯注,连续进攻几掌,直打吴桐的门面,大有速战速决之势。吴桐攻中有防,防中寓攻,招数连贯。因而山东大汉连连进攻,不能得胜。在双方又一次会面时,山东大汉双掌一阴一阳,左按右击,欲把吴桐打倒。吴桐一看对方来势凶猛,运用八卦的绝技雪飘风舞,上下盘旋,虚实变化,将对方让到背后,给其留下空档。在对方近身的一刹那,急回身用

八卦的一种脚法将山东大汉的头部踢伤。山东大汉满脸是血，但又不甘认输，带伤猛扑过来。吴桐伸手一迎，用太极拳的功夫，将对手顺势抛了出去，对方痛而失重，一头栽倒。

金陵古城一战，吴桐一连三胜，获得甲等奖状和奖章。从此他的名字传遍了武林。

太极拳家关德山轶事

关和璋

关德山(1886—1968)，原名崇绪，字德山，满族，生于绥远城(今呼和浩特市)满洲八旗驻防兵丁之家。自幼好武术，惜未经名师指教。为糊口计，入归绥市“马巡队”当差(马巡队相当于今之刑警队)。

一日，上级交来一犯人，说是强盗嫌疑，关询问，其人云：本为“跑马卖解”(即杂技马术)艺人，一行十余人，均被关押，不知何故。后经关了解，乃因归绥市数日前，一当铺被抢，数人被杀伤，官府怀疑杂技马术艺人所为，因此收审。其人自言张姓，山东人，自幼习武，因谋生困难，就与同学组织马戏团各处卖艺，并无偷盗行为。

羁押半载，未加审讯。忽一日张某对关德山说：“我受异人传授，能开锁去镣，窜房越脊，逃走不难，但我感你待我甚好，不忍为之。今愿授尔武艺，不知愿学否？”关欣然领教。从此就向他学习形意拳及各种兵刃硬功，一年之后，武艺大进。一日，上级来人，将犯人张某释放，临行张告知关真实姓名、住址及师承关系，并嘱关今后要谨守武德，不可伤人。关继续自行练功，拳艺更精。未几马巡队解散，关赋闲家居，以授徒为乐。

1927年绥远国术馆成立，馆长为绥远托克托县人吴桐。吴为武术世家，祖传八卦掌远近闻名，慕关之德艺，聘关为国术馆教练员，二人互相切磋，授徒传艺，关又从吴处学会八卦拳、太极拳。后因年事渐长，乃专攻太极拳及气功。

1931年夏，关正在国术馆授徒，突然有一壮汉，操山东口音，闯入馆内问谁是吴桐，气势汹汹。适值吴桐不在馆，关即向前询其来意，答言找吴桐报南京一掌之仇。原来此人乃当年南京比武山东选手之徒，其师负伤回家，今已残废。此人苦练三年，今来寻衅。关细询来人师承，得知其师祖即在马巡队教关武术之人。关向他述说往事，劝其念同门之义，由关出面调解。壮汉碍于师情班辈，勉强答允。后由关主持在古丰轩饭庄设宴，由当地武林耆宿出面，令吴桐向来人赔礼道歉，并赠予路费，方了此事。从此吴桐对关益加敬重。关亲授弟子，成名者十余人。

解放后，关被聘为呼和浩特市武术锻炼站站长，于1968年逝世，享年八十二岁。

蒙古总管满泰大义灭亲

钟志祥

民国二十年(1931)初,《绥远日报》刊登出土默特旗总管满泰的一则声明,针对其女婿李增华参与抢劫一案引咎自责,痛感"小女所适非人",表示要秉公办事,绝不纵容包庇,主张依法严惩,以保障社会治安。

满泰是清朝灭亡之后第一位担任土默特旗总管的蒙古人。他的女婿李增华,是毕克齐镇蒙古大地主李福田之子。李增华凭借家资富有和父辈在绥远的特殊地位,与当过土匪的萨拉齐流氓侯昆山等勾结,成天在外狂嫖滥赌,花天酒地。后因无力偿还债务,便于民国二十年春节前夕,李向岳父满泰的卫士借了一支手枪,在归绥旧城抢了一家"洋钱摊子"。作案后,照旧进出妓院饭馆。《绥远日报》采访员以社会新闻形式,将这一抢劫案披露报端,一时间归绥市里满城风雨。

绥远警备司令王靖国严令公安局限期破案。随后即将李增华等凶犯逮捕归案。李福田听说儿子惹下如此大祸,拿出三万块银元,一面寻找门路向王靖国行贿,一面领着儿媳到亲翁满泰面前央告代为说情营救。满泰与王靖国的关系很不一般,只要他出面疏通一下,就可把主犯推在侯昆山身上,使自己的女婿减脱死罪。可是满泰没有这样做,却在《绥远日报》上发表了那则声明。王司令一看满泰如此大义灭亲,也就不好官官相护,遂将李增华、侯昆山依军法判处死刑。行刑那天,李增华从监狱被提出来,因有愧于父母妻子,感到无地自容,坐在囚车中闭目不语;侯昆山则大骂满泰,一直骂到刑场饮弹而死。这以后,归绥城里,一度秩序井然。

内蒙古第一个地质学博士

沙沁

李士林(1896—1979),内蒙古清水河县人。早年留学法国。是内蒙第一个地质学博士,也是我国屈指可数的地质专家之一。

清末民初,绥远各地兴办学堂,清水河亦筹备设立一个小学堂,屠义源为堂长(即校长)。当时塞外风气闭塞,人们深受封建观念的束缚,办学很难,原在私塾读书的学生,都说不入洋学堂,屠堂长只好挨门逐户劝告。当劝至李士林家时,其母双膝跪下,嚎啕痛哭,苦苦央求:我只有这么一个儿子,学好到了外国,我可怎么办呀!屠多方晓喻,并说如果将来真能到了外国,那叫留洋,你就知道好处了。自是李士林入学之后,刻苦学习,成绩优异,陆续升学。以后从北京大学毕业，赴法留学，获得地质学博士学位，并在阿尔卑斯山进行了长期的考察。1936年，绥远抗战前夕，他怀着一腔爱国热忱回国，就职于太原兵工厂，对探矿炼钢多有建树。

李士林在法国度过了十七个春秋。回国之前，家乡的亲友，都为他那原配的小脚妻子担心。觉得李士林留洋回来，料不定是什么派头的人物，对土里土气的妻子，会不会变心，都存有疑虑。但李博士回家时，除了从国外随身携带一些测量仪器外，看不出有丝毫洋味。对他的妻子还是像过去那样情深意浓，体贴备至。他说：她是有功之人。当年我离家时，她正值青春年华，老母年逾花甲，两个幼子一个刚交三岁，一个尚在襁褓之中。她上奉老母，下抚幼子，含辛茹苦，实属不易。而今大孩子已上中学，小的高小将要毕业，老母健在，子女成长，都是她的功劳。家乡的人看到李士林虽身为博士，却如此淳朴厚道，赞叹不绝，传为佳话，远近闻名。

"七七"事变后，李士林携妻挈子到处辗转流浪。后在西北从事探矿工作，曾受翁文灏之托，带领一批人到玉门老君庙进行第一次石油探矿工作，在此建成我国第一个石油基地。抗战胜利后，他在贺兰山、阴山一带进行探矿。新中国建立后，曾任华北地质总队队长，并先后在全国地质博物馆、地质部、地质研究所等处工作，为我国地矿开发事业作出了贡献。

李士林于1979年病故。

朱总司令拒收豹子皮

杨勤生

1941年春天，八路军留守兵团骑兵旅教导队到南泥湾开荒种地。那里山深林密，野兽成群。当时，我们组织起一个打猎队，打了不少野猪、狼，还有几只金钱豹。

一天，朱德总司令到我们教导队视察。他看到挂在院里的豹子皮，走过去摸了摸，连连说"好皮子！好皮子！"并关切地向我们询问了队里打猎的情况。最后还答应增配给我们二千发子弹。

在这之前，我们听说总司令铺的、盖的都很单薄，几个队干部一商量，决定送一张豹子皮给总司令。

当天下午，总司令要回延安了，我们把一张捆好的豹子皮送给总司令，他坚决不收。并对我们说："你们这是做啥子嘛？给我进啥子'贡'哟？我们党是有规矩的，不兴送礼这一套，我这个当总司令的更得带头遵守啊！"总司令指着穿得破旧的教导队学员说："同志们很辛苦，穿得却那样破旧。一张豹子皮可以换七八匹布，能做好多套衣服，让我白拿豹子皮，那我不成了'剥削户'了？总司令剥削大家，这多难听。"说完他大笑起来，我们只好作罢。

扎萨克封启大印仪式

火 鹰

明末清初，蒙古各部相继降清。清廷依满俗编蒙古各部为“旗”，旗为军政合一的县级政权。各旗的首领称“扎萨克”，由一等台吉以上爵位者充任。

清廷授给每旗一枚银质虎头大印，重 8.13 市斤。用满蒙两种文字镌刻，汉译为“××旗扎萨克印”。蒙古仍依旧俗，王公、官吏、兵丁不上常班，王公住其府，官兵在家放牧。每月只有骁骑校以上的官员一名、文书一名、兵二名值班，处理旗务。每年腊月三十日，全旗官吏、兵士到王

(公)府举行盛大的封印仪式。

仪式在大门外广场或高地上举行。场上摆供桌，把用黄缎子套着的宽半尺、高六寸的木盒(印在盒内)放在正中，印前点燃一片黄油灯，敬香。祭品有：书斯(煮熟的整羊)、点心、奶食品、茶砖、糖、白酒、奶酒、哈达等。扎萨克及官员们戴上表示品级的顶子，穿上官服，地上铺满毡子。等到太阳落时，由掌印官封印。王公官员敬香、敬酒，向印行大礼，三拜九叩(给印叩头不脱帽，给佛叩头脱帽)。半小时结束。然后扎萨克府举行酒宴招待官兵以庆丰收。歌颂扎萨克功德，饮酒高歌，送旧迎新。次日晨团拜，向扎萨克拜年后回家。

正月十五日启印。各苏木的章京、坤都、百姓、各庙喇嘛带上账房、食品、酒，到王(公)府参加启印仪式。场地、摆设和封印同。官员以品级大小先后敬香、叩拜后开封条。启印仪式结束后，举行全旗那达慕大会，进行赛马、摔跤、射箭、赛诗歌等项活动。启印是蒙古草原上的一个大典，全旗人民赶来参加活动。来者身着鲜艳的民族服装，戴着金光灿烂的头饰，光彩夺目，各地商人赶来交易，进行物资交流，十分热闹。

祭印仪式至 1949 年解放后才废止。

蒙古八旗的旗帜

火　鹰

蒙古各部于后金、清初，相继降清。清廷依满俗把蒙古各部编为军、政合一的县级政权，命名为“旗”。各旗封一名扎萨克诺音，并授印信和一面龙旗。

旗帜呈三角形。上有四条龙的图案，上下边为火焰形花边。旗杆顶段是一尺半长的箭形铁尖。旗杆下段为一尺半长的铁插，共九尺长。

这面旗帜在蒙古地区是神圣的文物之一。平时把它插立在旗府大厅中央的三角架上，并用哈达包裹，以防污染。在旗前点燃奶油长明灯，每日上香。全旗官吏、旗民进衙门，以及值班的官兵接交班时，先向旗帜上香、叩头，其次才到正厅左右套间向扎萨克叩头请安。

按常规每年农历七月祭一次旗帜，全旗官兵参加。在旗前点一片奶油灯，供“书斯”(煮熟的整羊)和各种奶食品、面食品、白酒、奶酒、糖果，并上香。扎萨克主祭，行大礼，三拜九叩后给旗帜拴一条绢，同时向它宣誓，请它保佑全旗安好无事。

全旗在召开那达慕大会时，把旗帜请到赛场，取下哈达，现出旗的本色。大会开幕，旗为先导，领参加赛马的队伍绕场三周。转完后把它竖立在赛场中心，龙旗飘扬，十分壮观。赛马队到起点开赛。

除各旗的旗帜外，各苏木(乡)有苏木旗(小于旗级的旗帜)。也呈三角形，旗面上也有龙形图案和火焰形花边。军队出征前，官兵整装，备好刀枪、战马，全体官兵列队下跪，向旗叩头。庄严宣誓，请它保佑全体官兵平安，保佑战胜敌人。仪式结束，旗为先导，部队随后出征。此俗延续多年，至 1949 年解放才废止。

诱人的“其格”

富荣嘎

“其格”，蒙语，即酸马奶，通称马奶酒。马奶酒是用牛奶制成的酒曲，使马奶发酵而成。它是蒙古民族各种聚会、盛宴上不可缺少的饮料。《蒙古秘史》里就有记载成吉思汗及其先祖畅饮马奶酒养身怡神的细节和酿制马奶酒的生动描述，并称赞为“香味醇浓甘美”。在元代，酸马奶列为“蒙古八珍”，有“元玉浆”的美誉。各大汗不忘故土，每年秋八月都要返回蒙古草原举行盛大的马奶子宴。据《马可·波罗游记》记载，元世祖忽必烈在皇家宴会上曾将“其格”盛放在珍贵的金碗内款待客人。

契丹族诗人耶律楚材有“天马西来酿玉浆，

革囊倾处酒微香”、“浅白痛思琼液冷，微甘酷爱蔗浆凉”等赞美马奶酒的诗句。13 世纪法兰西传教士威廉·鲁布克在其《东行纪》里写道：“在夏天，只要有忽米思(马奶子)，他们就不在乎其它食物。”马可·波罗夸道：“鞑靼(蒙古)人吃苦耐劳的精神极其顽强，不怕任何艰难困苦，甚至必要时，只用马奶就可以维持一个月的生活。”因为马奶喝起来微酸适口，既能消暑解渴，又可充饥果腹。当年成吉思汗用兵神速，可以说同蒙古军队简单而营养丰富的饮食有很大关系。

“以西为尊”习俗溯源

李　实

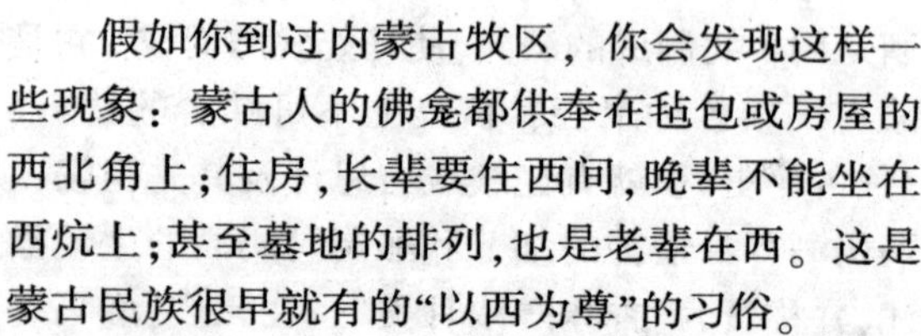
假如你到过内蒙古牧区，你会发现这样一些现象：蒙古人的佛龛都供奉在毡包或房屋的西北角上；住房，长辈要住西间，晚辈不能坐在西炕上；甚至墓地的排列，也是老辈在西。这是蒙古民族很早就有的“以西为尊”的习俗。

水有源，树有根。蒙古族以西为尊的习俗是怎样产生的呢？这与原始的萨满教和蒙古族的发展历史密切相关。

萨满教是原始社会母系社会时期产生的。萨满教崇拜天，在以“长生天”为首的九十九个天之中，西方的五十五个天是善天、好天，东方的四十四个天是恶天、坏天。这是蒙古族以西为尊的最早的宗教根源。

7世纪以后,蒙古部落从额尔古纳山林渡腾汲思海(今呼伦池)西行,到了孛儿罕山(今肯特山)东麓的斡难河、克鲁涟河驻地游牧。从这个时候起,位于西方的孛儿罕山就成了蒙古人心中的圣山。

据《蒙古秘史》记载:成吉思汗早期被篾儿乞惕人追捕之时,隐藏在孛儿罕山中,三百篾儿乞惕人到处搜索,寻找再三,终未捕获而离去。成吉思汗幸而脱险后,说:孛儿罕山保住了我的性命,我将每年祭之,每月祷之,让我的子子孙孙都知道这件事。说完,就"挂其带于颈,悬其冠于腕,以手椎膺,向孛儿罕山行九叩头,乞求助佑"。以西为尊,从此有了新的内涵。

蒙古民族的历史发展及其领袖人物的带动,遂使以西为尊的传统延续至今。

鸦片流毒土默特

彭　勇

鸦片烟俗称"洋烟"。据传,洋烟传到土默特地区是在鸦片战争前夕,本地区《二人台》传统剧目中的《种洋烟》开头一句就是:"道光爷登基十三年,外国人传进中国留下个种洋烟。"鸦片战争后的1856年,在归化城郊的黑河灌区,有人即开始大片种植鸦片。到 1874 年,种植面已扩散到整个土默川。

在鸦片战争前,每两鸦片烟约价银三两,故除王公贵族、官吏、巨商等少数人吸食外,平民百姓很少有人问津。鸦片战争后,由于本地开始大片种植,鸦片烟价格下跌,平民百姓吸食者遂与日俱增。到光绪年间(1875—1908),归化城的洋烟馆已遍设街头巷尾,城乡在家吸食者已数不胜数矣。

民国成立后,对鸦片的种植忽禁忽弛,因而土默特地区鸦片的种植一直未断。后来,绥远都统马福祥奉命成立"绥远禁烟善后局",以罚款手段聚敛钱财,只要认交罚款,便可种植。致使土默特地区的农民种植成风,吸食的人也迅猛增长,烟价亦由民国初的每两七元降为每两一元五六角。至民国二十四年(1935),呼和浩特、包头、托克托县等市县,甚至察素齐、毕克齐、善岱等镇也设立起了专收烟土的机构。民国二十六年(1937)日寇侵占绥远后,伪蒙疆政府颁发文告,诱导农民大种鸦片,并分设"土业组合"控制鸦片烟的收购,开始用鸦片制造海洛英的半成品"料面",进一步毒害蒙汉人民,其收益作为日军的军费。1945 年日寇投降后,国民党政府虽也喊叫过禁烟禁毒,但鸦片的泛滥已无法收拾。

据统计,日寇侵占绥远前,全省男女烟民为七十余万人左右,占全省人口的五分之二。日寇入侵绥远后,全省烟民曾达一百余万,已超过全

省总人口的半数以上。

鸦片烟搅乱了社会秩序，鸦片烟害得家破人亡，妻离子散。当时流传的一首《洋烟歌》，对洋烟的危害是这样描述的：

“……老财吃得家业尽，农民吃得受了穷。买卖人吃得不上架(指不往货架上摆货)，手艺人吃得无人用。男人吃得去偷人，女人吃得混男人，到了夜晚不睡觉，到了白天不吹灯(指仍点灯吸烟)。太阳上来日头红，睡在炕上不起身。先卖土地后卖房，柴枝草棍全卖光。最后无奈上了吊，尸骨抛野狼狗啃。”

1917年之绥远鼠疫

彭　勇

民国初，由于政局不稳，卫生防疫条件极差，致使发生于民国六年 (1917) 九月的鼠疫迅速蔓延，波及整个绥远与华北地区。据《绥远通志稿》载，此次鼠疫仅在绥远地区就死亡万余人。

此次鼠疫，疫源始于乌拉特前旗扒子补隆村，传经包头、呼市又蔓延至武川、凉城、卓资县以及山西、察哈尔、张家口等华北地区。有的则是由上述地区又回流到呼市及附近农村，有一些农村则是从伊盟准格尔旗传入 (《呼市防疫站流行病学资料》)。

当时的气候特点是：一冬无雪，天气忽寒忽暖。其病状为恶寒呕吐，发病三日则吐血，至此则不可救药矣。死时头面呈黑色，故鼠疫当时俗称"黑死病"。一旦被传染，往往数日之内全家死绝。遇幸存幼儿，亲友亦不敢收容，听其冻饿而死。

其时尸体纵横遍野，惨不忍睹，城乡道路，人迹全无，邻里不相往来。未染斯疫之乡村，在进出口派人把守，拒绝外人进村，如遇强行进村者，则遥以椽头戳之。故又称鼠疫为"椽头子"。

鼠疫流行于十二月份进入高峰期，到翌年三月结束，前后持续半年之久。期内呼市地区死亡三千四百三十七人，包头地区死亡四千余人。死亡较集中和死亡率最高的是呼市通顺北街潘大龙店一带（死五百余人），桥头街耿家店一带（死亡一百余人），西尚义街义生德货庄一带（死亡一百零四人），察素齐镇（死亡一百二十七人）。最惨的是呼郊榆林、板石头沟等村，全村人死绝。土默特左旗善岱八犋牛营全村仅一人幸免于死，呼郊八拜小喇嘛营村仅一位老妇幸免（《呼市防疫站流行病学资料》）。

王士珍被"抓车"

高也彭

生在北洋时代的人都知道，车夫经常遇到

抓车这类倒霉事。那时期北洋军阀统治的军队毫无纪律可言，他们每逢使用车马脚力时，随意在街上抓来役使。

1924年冬季，曾在清朝末年任军机大臣、辛亥以后在北洋政府一度组阁的王士珍，有一次，从老家正定入京。王士珍这人在家乡一贯平民化，不摆官架子，出门从不带随从。这时正定驻有胡景翼部李纪才旅，军纪极坏。王的骡马轿车一出小北门(通往车站的便门)，正好遇到两个大兵也去车站，大兵一抬手喝令车夫“站住”，赶车的赶紧勒缰停车。大兵们一看车里坐着一个平民装束的老者，厉声斥道：“下来，送我们上车站！”车夫刚想瞪眼，王士珍急忙制止，不动声色地说：“我下去，坐得怪腿麻，下去走走，活动一下也好。”车夫一见主人自甘忍让，也只好听命。于是王士珍下车，两个大兵上车。车夫一掣缰绳，狠狠地抽打牲口，指桑骂槐地大骂：“瞎了眼的东西。”两个大兵当然听出这是弦外之音，开口斥道：“怎么?坐你的车，你还不高兴吗?”车夫回道：“不高兴的还厉害呢！”“这么说，你还有点儿仗恃吧?”“我仗的势还不小哩!你知道，你轰下车的那人是谁?”大兵急问：“他是谁?”车夫一字一顿：“内阁总理王士珍！”(王于1920年退出军政界，当时人们的习惯仍以“总理”称呼)大兵一听，赶忙叫停车，跳下车一溜烟跑了。

这时王士珍已落在车后半里之遥，赶上车后，自言自语地说：“一个无知无识当兵的，和他

们一般见识做什么！”

车夫回来后，到处说：“今天出笑话了，抓车抓到咱们头上了，老头子（指王）被撵下车来……”这一嚷嚷，闹得满城风雨，风声自然也吹到驻军旅长李纪才耳里。王士珍由京归来后，李纪才特到王府道歉，说“自己治军不严，军队太没有教育，想不到抓车就抓了您老人家的……”王士珍说：“弟兄们驻在正定用车，理应用我的。以后，用车尽管到我这里来要。如果乱抓老百姓的，军纪就显得不好啦！”李纪才红着脸唯唯而退。回旅部后，马上命人贴出布告：“嗣后如有人抓车，就地枪决！”

九世班禅到内蒙诵经

博·温都尔涅夫 文

谢蕴珍 整理

内蒙古科尔沁左翼中旗末代达尔罕亲王——那木济勒色楞是虔诚的喇嘛教信徒，手不离念珠，嘴不离经书，笃信神佛。特别在前半生中，喇嘛教成为他精神上的惟一依托。他鼓励旗民出家当喇嘛，不惜重金修缮庙宇，定期举办佛事活动，使喇嘛教在该旗更为兴盛。据1937年不完全统计，科尔沁左翼中旗74座寺庙中有喇嘛三千五百四十四人，约占当时全旗蒙古族男性的百分之三十左右。

那木济勒色楞对达赖、班禅极为崇拜。十三世达赖喇嘛·土登嘉措进京朝见期间,他曾多次前往叩拜,领受“佛恩”。第九世班禅额尔德尼·却吉尼玛于1927年自西藏来京,后以宣抚为名到内蒙古各地诵经。6月,班禅应那木济勒色楞之邀请,来到科尔沁左翼中旗唐格日克庙讲经。后又应本旗温都尔王阳仑扎布之请,到慧丰寺(西玛拉沁庙)放经。此事轰动了东蒙古。除了哲里木盟外,锡林郭勒盟北部、昭乌达盟等地的王公贵族和成千上万的平民百姓,不远千里云集而来,使唐格日克庙、慧丰寺周围十多里方圆,布满了蒙古包,人人都以能谒见班禅为一生中最幸运之事。据当时的目击者记述,班禅走动时,前边由达尔罕王、温都尔王手持香火引路,前后顶马,沿途人们跪在路旁迎送。当班禅讲经法会开始之际,法号法鼓齐鸣,达官贵族、上层喇嘛跪坐在大殿内外,目不转睛地望着班禅的身影聆听。地主、牧主以及大小随员延伸到大殿院外。而普通百姓则排列到数里之外,竖耳静听远方传来的微弱的音响甚至什么也听不见。特别是班禅举行摸顶仪式时,人们更是争先恐后地接受摸顶洗礼,然后领得一缕红布条(称做“景嘎”)这个吉祥如意的象征物,系在脖子上飘飘然离去。此次活动,耗资无算。

路大遵

胡海如

民国初年，陕西山阳县县长路大遵，外以廉洁自矜，内以贪黩自奉，贪赃枉法，巧取豪夺，百姓恨之入骨。

该“父母官”任满将行，一老农耿介知书，送对联一副云：“大道生财，财连银汉三千丈；遵法炮治，治死黎民百万家。”横批：“路断人稀。”百姓解恨，一时传为佳话。

1947年，余至山阳时，房东某先生所述。

富荣嘎

套马也叫驯马，是蒙古族牧民一项带风险但又十分有趣的活动。

每年五月在约定好的一天，按一个嘎查(相当村)或十几个牧户为一群，把散在草原上的马匹集中圈在一个指定的地点。远近的男女青年牧民或乘骑或坐车，从四面八方纷纷赶来，场面非常热闹。

套马开始。但见几个强悍的青年牧民，手挥长长的套马杆，在马群中穿插飞驰，把马群分成几片。遇到暴躁的烈马，就要往复追赶，瞅准时机，飞快地甩出套杆——交耳杆，套住马颈，然后一吊三拧，即吊起马头，使劲拧三下，将马头拧紧；此时再烈性的马也就服服贴贴了。

套住马后，紧接着几个青年猛扑过去，揪住马耳、马尾，顷刻把马摔倒，摁住马肚让其动弹不得；姑娘们手持锋利的剪刀蜂拥而上，飞快地剪马鬃马尾，掌管烙印的老牧民立即从牛粪火堆中抽出烧红的烙铁，烙在马的屁股上，留下标记。

这种惊险的套马活动是考验牧民勇敢和机智的活动，也是精湛马术的一次表演，更是姑娘们挑选意中情人的良机。

鄂伦春人的猎刀“乌其康”

浬鎏洋

你可能见过蒙古刀吧，那锋利的刀口，精美的刀鞘会使你赞不绝口。然而，鄂伦春人的猎刀，要比蒙古刀更胜一筹。

每当鄂伦春猎人出猎时，我们会看到他们的腰带上挂着的猎刀。通常，他们称之为“乌其康”，北部鄂伦春人称“考道茨库”，就是带筷子的小刀。

这种刀用好钢打制，特别锋利。猎人上山不但用于防身、卸肉、剥皮，做手扒肉的切刀，而且用于砍树，不次于小斧，是猎人不可少的用具。刀鞘一般用桦木制作，经加工打磨后，花纹呈冰花状，变幻莫测，一派天然之美，并且质地坚硬光滑美观耐用。刀柄也如此制作，并镶以铜铁钉磨光，如群星闪烁，更壮其风采。刀鞘壁上钻有二孔，用于插筷。筷子一般是用犴骨或鹿骨加工而成，再刻上花纹，尤为精美。

乌其康，民族文化的标志，它既是狩猎用具，又是别具一格的民族工艺品。

乌珠穆沁的蒙古包

富荣嘎

乌珠穆沁牧民居住的蒙古包，是最典型的草原蒙古族建筑。

蒙古包，白色居屋，游牧民族流动的家室。它扎拆容易，搬迁方便，冬暖夏凉，居住舒适。在严冬季节，围上三层保温的绒毡，生上火炉，温暖如春。炎热的夏天，将围毡高卷露脚，微风从“哈那”底部流通，不仅凉爽舒适，而且还带进一阵阵野花的清香。

乌珠穆沁草原上，用白羊毛毡扎起的蒙古

包，在夏季经雨水冲刷显得格外洁白。对此，曾有诗人赞美吟咏道："草原就像绿色的海，毡包好似白莲花。"

蒙古包有文字记载的历史可以追溯到汉代。在《史记》、《汉书》等典籍中，被称作"毡帐"和"穹庐"，《匈奴列传》记载当时匈奴人的风俗，就是食畜肉，饮湩酪，衣皮革，被毡裘，住穹庐，逐水草迁徙。北齐民歌《敕勒歌》中也有"天似穹庐笼盖四野"的字句。

西乌珠穆沁牧民居住的蒙古包是以最简捷的手法和材料完成的一种极富有表现力的创造。例如：几片细木杆编制的"哈那"网片，可伸可缩，简洁里包含着智慧。哈那是蒙古包的墙壁。先用生驼皮把两根一样粗的柳木杆缝合起来。十五个头的哈那是把长短不同的三十根木杆缝合起来的，形状像一块栅栏。"乌尼"(顶棚杆)则和哈那一块完成了整个骨架造型任务。骨架之间用马鬃和驼毛合打成的毛绳子连结起来。"乌尼"主要起檩木、椽木和房笆的作用。"陶恼"是蒙古包的天窗，是照明、通风和气烟流出的地方。蒙古包的门，有一扇、两扇两种样式，门框与哈那的高度相等。蒙古包除木门外还有两层毡子的毡门，上面用驼毛线针绣密缝各式各样的图案。

西乌旗牧民用的蒙古包围毡子都是用绵羊毛制作，分为围毡、顶毡、天窗盖毡和包内的铺毡。顶毡按包架形状剪制，天窗盖毡呈正方形，

白天半开,晚上或雨、雪天都要盖住。

历史上曾用过八个甚至十二个哈那的大型蒙古包。原乌珠穆沁右旗王爷府就住在这种大型蒙古包里办公议事。1936年4月20日,由日本人田中隆吉(关东军特务)指示德王主持召开的第一次“蒙古自治大会”,会场就是西乌旗索王府的大型蒙古包。

一代天骄成吉思汗在13世纪指挥蒙古铁骑千军万马时,也曾居住在这古老的大蒙古包里。据史书记载,成吉思汗居住的“大斡儿朵”也叫金帐,可容纳二百余人。平时立于地上,战时架在四轮巨型大木车上,用二十一头犍牛或骟马牵引。

临盆之险

胡慧荣

妇女生育,谓之“临盆”。此说虽古,但到20世纪三四十年代,仍然常见。

当时,内蒙古西部地区,地处塞外,人民生活贫困,缺少妇幼卫生知识,因而丧身于此者屡见不鲜。笔者曾毕业于南京国立中央高级助产学校,任妇产科医生数十年,而今每忆产妇之苦,犹不寒而栗。

女子到了豆蔻年华,月经来潮本是成熟期

的象征。但是人们对这一正常生理现象，感到恐惧，羞于向人请教，竟以各式各样有损健康的方式处理。如：用肮脏破布或粗糙的草纸渗垫。如果买不起草纸，或缺乏破布，就垫上一双破鞋帮子或沙土口袋，用完洗后放在不见阳光的阴暗角落，多被老鼠、苍蝇污染，因而造成“十女九带”。滴虫、霉菌、子宫内膜炎、输卵管堵塞不孕症，比比皆是，因医药缺乏而夭亡者不乏其人。

妇女怀孕了，本应皆大欢喜，可事实上，妇女生产却如同过鬼门关。谚语云：“女人生孩子就像水瓮沿上跑马！”孕足临产，更是各式各样，比较讲究的找个老娘婆接生，接住婴儿用裁衣的剪刀或一片碎瓷片、破玻璃，或用烧红的铁棍断脐，找块布一包便成。遇上横生倒养，则将胎儿肢解。如母体内留有残余而无法取出者，往往母子双亡。

古籍所记之“临盆”、“落草”，前些年仍能见到。其方式是：让产妇坐在小板凳上，两腿间置一瓦盆或铺些麦草之类，有的铺干土于炕上，用以承接羊水及胎儿。如果请不起接生婆，只好由家人甚至产妇自行处理。更有甚者，将产妇的头发散开，系在顶棚上，以免挣扎；如遇昏厥，就用火纸点燃，浓烟熏鼻，常常母子同归于尽。上述极其危险的接生法，常常造成产妇的大出血与婴儿的“四六风”，死亡率达到惊人的高度。

产后本该很好地调养，但是陈规陋习，多年延续。在整个产褥期以酒盅量米，按日加量，认为产妇只能喝“瞪眼儿米汤”，否则会影响健康。此外还让喝过量的红糖水，四十天内不得下地活动，门窗紧闭，酷暑也得把裤腿、袖口扎紧，戴上帽子或包上头巾等……产妇即使大难不死，产后也要落个弱不禁风。有些中年妇女，经三四次生育后，就弯腰驼背了。

黑灰日

李福生

居住在东北嫩江两岸的达斡尔族人，过春节时，有一个特别的“黑灰日”。年轻人手上抹着黑锅底灰，彼此争着向对方脸上涂抹，年轻姑娘不留意被小伙子抹得一脸乌黑，引起一阵阵的嘻笑。民风古朴，野趣可人。春节的早晨，全家围着篝火点香，向吉祥的“火神”敬拜，祝福在新的一年里消灾免病，全家幸福。晚上，男女老少在一起翩翩起舞狂欢，以庆贺新的一年吉祥如意。

递鼻烟壶

张美贤　刘喜平

递鼻烟壶是蒙古民族留传下来的古老习

俗，是最普通的相见礼。鼻烟壶也是日常交往中一种诚挚信物，草原牧民无论男女、贫富都喜爱鼻烟壶。此俗在内蒙古伊盟、阿盟等地区直至50年代还颇为盛行。

鼻烟壶，大小不过一寸上下，小巧玲珑，多种多样。有的像小鸭梨，有的像桃子，有的像小柿子。“内画壶”图案，绚丽多彩，细腻古雅。有飞龙奔马，有摔跤射箭，有奇珍异兽，有翩翩起舞之蒙古族少女。壶的质料，有的是玛瑙，有的是玉石、翡翠、珊瑚、琥珀、水晶，也有用金、银、铜及陶瓷、烧料制作的。壶内装带有香料的烟粉，嗅一下可以提神爽志。鼻烟壶是通常装在一个长六七寸宽四五寸的袋子里。袋子多为绸缎所制，绣饰着美丽的图案，经常佩在腰间左胁下，于会客见面之时取出彼此互换。

递送方法：同辈相见，用右手相互交换，或双手略举鞠躬互换。先将壶内之物倒出一点，用手指蘸一下，抹在鼻孔上，或持瓶至鼻端，品评气味之优劣。同时观赏壶的式样、颜色和雕刻，再互相送还。如尊者长辈与下辈相见，尊、长则微欠身，以右手递，而下辈要单腿跪地，双手接过，敬谨嗅之，鞠躬奉还。然后下辈给尊长呈递，身子前倾鞠躬，单腿跪地，双手高举，尊长以左手接过，略表笑意，嗅完还回。若在途中相遇，彼此下马，亦各递鼻烟壶。

蒙古族人视鼻烟壶为掌上明珠，倘蒙馈赠，则引为荣幸。

蒙古族的汉姓

于永发　杨·道尔基

蒙古族原来有氏无姓。如孛儿只斤氏、巴拉格特氏、云硕布氏等等。采用汉姓在内蒙古诸部中,也不过百余年的历史。现在,其汉语姓氏已有一百四十余种,这些姓氏大致是在其语言文字佚失的同时逐渐被采用的,情况较复杂,主要有如下几种:

其一,以氏族、部落名称首字为姓。如孛儿只斤氏后裔以薄、宝、包为姓;乌良哈人分别以云、吴为姓等等。

其二,以名字之首字为姓。有的人在社交中往往以名字之首字漫应为姓,他人亦以"某参领"、"某章盖"称之,相沿日久竟为姓氏。如锡琨、常龄即分别以锡、常为姓。还有的是以父祖名之首字为姓,如总管满泰、荣祥之后人即以满、荣为姓。

其三,因职业(职务)而取姓。如毕克齐之马家,世代主持当地牲畜交易。人以"马头儿"呼之,遂以马为姓。又如托克托县之姜家,因祖先为世袭章盖,遂取章之同声字姜为姓。

其四,相互影响,借用姓。如民国以来土默特小学云姓较多,无汉姓者受其影响有以云为姓者。另外,编查户口或注册时部分人因“有名无姓”,遂向亲朋借姓。如常合理村的李姓即是。

其五,因讹传而定姓。如美岱召和武川大公村一带民间有土默特辅国公系辽代萧太后之后的传说,辅国公之后代误信讹传,竟以萧为姓。

其六,因特殊情况而定姓。解放前参加革命的老同志,有的因工作需要或别种原因而改换姓氏。如黄、李、徐等姓。也有曾替别人充当壮丁的,最后竟以被顶替者之姓为己姓。

鄂尔多斯左翼前旗(准格尔旗)台吉热不腾,青年时代追求知识,追求进步,交游很广。他受蒙古土默特部取汉姓的启发,决定在准格尔旗蒙古族中推行汉姓。他先给自己取姓“奇”,并取名“子俊”,同时倡议鄂尔多斯各旗蒙古台吉都以“奇”为姓,旨在溯源“奇渥温·孛儿只斤”的“奇”。于是各旗王公台吉都纷纷响应。只有鄂托克旗王公独辟蹊径,偏取“包”(孛儿只斤的“孛”近音)为姓,这正与科尔沁蒙古之包姓相同。

奇子俊是东协理纳森达赖的二儿子。纳森达赖在准格尔旗专权二十多年,称霸一方,为所欲为。所以奇子俊被百姓们敬称为二少爷。民国二十五年(1936),二少爷被冯玉祥委任为骑兵团团长,便开始在蒙古地方招兵买马。正如民歌所唱“沙圪堵点灯杨家湾明,二少爷招兵忽撒撒人”,可谓红火一时。

奇子俊先生未能倾心致力于他的革命事业,却在有生之年为蒙古鄂尔多斯取汉姓上作出了表率。

蒙古包里设公堂

火　鹰

虽然在蒙古民族中流传着“蒙古人里没有盗贼，蒙古人里没有撒谎”的说法，但观察日常生活，也有案件发生。清末、民国年间，蒙古地区是如何处理案件的呢?

一般的旗有班房。没有班房的旗(乌拉特蒙古)则让犯人戴上桎梏坐在旗府伙房门外。伙房门外挂着一条清廷给的皮鞭，由伙夫看守犯人。

审讯犯人没有专职法官。小事由苏木章京处理。大一点的案件报旗，旗扎萨克召集仕官们召开“朝格拉”(集体)会议审讯、判决犯人。

法庭设在蒙古包里，由门向里摆一行小桌。扎萨克坐正位，桌子两侧由里向外排坐次：东西协理、梅林、旗章京、苏木章京、坤都、笔贴式(文书)。犯人在门外面向里跪下，审讯开始。

刑罚有鞭笞、劳役、罚财物、示众、区勒格(流放)、死刑。鞭笞是由伙夫执行；劳役是给旗府打柴、放牧；罚财物即没收财产或罚牲畜；示众是让犯人(戴桎梏或无桎梏)下乡到各户交待罪行，时间最少半月最多一个月，由各户供食宿；流放是把犯人送到本旗边远地点看管；死刑是由“朝格拉"会议判决并呈报理藩院,民国时各地自行其是。这是最终的判决,一旦判处死刑,必须立即执行,犯人不得上告。

按清廷规定,在蒙古地区,旗扎萨克只有治民的权利,无权治喇嘛。喇嘛犯罪由各旗的旗庙(县级,清廷封爵,授印信,旗庙活佛爵位同扎萨克,个别活佛的爵位比扎萨克高)处罚。因此有旗庙治僧,旗府治民之说。如僧与民发生案件,由旗府、旗庙联合处治。

"奇卡米"

毅　松

"奇卡米",汉译狍腿皮软底靴,是达斡尔族比较讲究的冬用皮靴。奇卡米的靴帮和靴面,都是用狍子腿皮制作的。制作时,将冬季猎获的狍子腿皮剥下后,贴在室内墙上阴干,再鞣熟后方可使用。一双靴子需用十六个狍腿皮。狍子前腿皮毛色美丽,用作靴帮,靴帮高约一尺多。狍子后腿用作靴面。把狍腿皮按毛纹、色调搭配后,用鹿筋或狍筋线缝制, 在靴帮上口缝上蓝布或花绸边。靴底用狍子脖颈皮或牛正脊皮制作,鞣熟后既柔软又耐磨。奇卡米的里面还要缝上白衬布。这样,里外一新,结实、美观的奇卡米就制成了。

达斡尔人在穿奇卡米时，里面要套狍皮毛袜子或薄棉布袜子，也有填靰鞡草的。奇卡米轻便、暖和、防滑，在雪地上行走不出声响。因此，达斡尔人逢节日喜庆、探亲、访友或出猎、远行时，都喜欢穿着，平时也精心爱护，视为华服。

架鹰驱鹿猎北疆

浬鎏洋

鄂伦春族、鄂温克族、达斡尔族都有能骑善猎的共同经历，他们由于所处的地域环境和生活习俗不同，狩猎方式也有所区别。

鄂伦春族猎人在狩猎时，善于以猎马为主要交通运输工具。射杀武器过去是地弓、地箭、火枪，现在则为步枪和半自动步枪了。猎人的狩猎技术比较高明，往往是靠神奇的枪法取胜。打到猎物以后，一般是放在原地做个标记，由妇女负责运回。狩猎时，群体观念比较强，具有严格的组织纪律性。

鄂温克族猎人的狩猎方式与鄂伦春族狩猎人相比，有很多相同之处。但鄂温克族猎人(指敖鲁克雅鄂温克猎人)在狩猎时，善于使用猎犬，能充分发挥猎犬的作用。他们还善于长途跋涉、登山和雪橇滑雪。他们以驯鹿为伴，用驯鹿作为运输工具。有时一个猎人出猎时，要带多头驯鹿走成一串,回来时用以驮运猎物。狩猎对象和鄂伦春族猎人一样,以狍、鹿、犴、灰鼠、飞龙鸟、熊等为主,狩猎场地都在森林。

达斡尔族猎人的狩猎更具独特色彩，他们用训练有素的猎鹰,狩猎于平原丘陵一带。猎鹰和猎犬在狩猎中巧妙配合,追、堵、捕、咬,形成空中地上的立体追捕方式，猎人可以用自己的口令指挥猎鹰、猎犬。捕获对象通常是:雪兔、赤狐、狼、獾、野鸡等。他们还善于用下套、设网、扔炸子等方法,猎获狼和雉鸡等。

马驹节和赛马健儿

郭永明

每到仲夏时节，荒凉的草原就像褪出老毛的牲畜一样,忽然从衰草败叶中,蜕化出一个鲜活的世界来。那些去冬今春抗灾保畜受尽劳累的牧民,望着满滩活蹦乱跳的牛犊马驹,脸上的皱纹舒展了。于是他们换上新装,骑了快马,以自然村落和地域为单位,成群结队,来到一处水草丰美的地方,搭起帐篷,祭祀天地,庆贺丰收,举行好汉三技比赛(赛马、摔跤、射箭),“娱神而自娱”,这就是每年农历五月十五的马驹节。鄂尔多斯伊克昭盟各旗称之为“珠拉格”盛会。

蒙古人尊马为五畜(马、牛、驼、山羊、绵羊)之首。"珠拉格"会上更是如此。马驹节开始前,要选几位有儿有夫、干净利落的育龄妇女,把母马的奶挤满一桶,交给主持者向天地祭洒,拉开马驹节的序幕。在这一天,每家还要把最好的母马和马驹,牵到"珠拉格"会场,分别在长长的练绳上拴起来。这些马驹从来未见过如此世面,又是初戴笼头,乍离母亲,自然惊跳嘶鸣,拼命挣扎,一点儿也不明白:主人搞这样的恶作剧,正是为了展示它们的风采,博得同伴的赞叹和笑声。

马驹节最高兴的自然要数孩子。他们不仅是看客,更是引人注目的小骑士。如果说那群生龙活虎的马驹,展示的是牧业丰收的话,这批矫健活泼的儿童展示的则是人才的丰收、祖国的未来。早在节前一个月,有好马的家长就开始帮助儿女调驯马了。到了马驹节这一天,家长自然要亲自把他们领来,绕着会场驰跑三圈,向会场的相反方向送出去。跑过二三十华里的赛程,再返到会场来。参赛的骏马,不备鞍鞴,只留薄屉一块。骑马的孩子也单衣跣脚,洋溢着一种野性的潇洒。当那成百上千匹快马争先恐后狂奔而来的时候,犹如一阵旋风卷过大地,发出一股震撼人心的力量。更有趣的是发奖的时候,赛马健儿一定要奖够十名。然而这第十名,却是跑在几百匹马最后的"殿军"。说他唯其跑在最末,才囊括了所有人的福气,因而奖之有名,受之无愧。奖赏的时候,要由专门的祝颂人连人带马赞颂一番,那祝颂词是蒙古民族最好的诗。

马驹节的奶食肉食，全是牧民根据牲畜多寡和年成丰歉，主动无偿捐献的。但在享用的时候，却不问民族地域，人人有份，过路的也能大吃一顿。每当红日西斜，人们便将马驹放开，让它们与母亲团聚，一同跑回草场去了。牧民也拆下帐篷，唱着歌儿回家。马驹节带着游牧民族特有的敏捷，就这样匆匆地来，匆匆地去了。

蒙古族的祭“敖包”

火　鹰

蒙古民族居住地区的高山、草原上，到处有高大的人工堆砌的土堆或石堆，这便是众所周知的“敖包”。敖包汉译即土堆子。敖包分三种类型：一为旗、县、省界的标界敖包；一为镇鬼敬神、保佑旗民平安幸福的敖包；最多的则是安葬苏木达日嘎(乡长)、扎萨克(旗长)、英雄、名人、活佛的敖包。敖包一般都建在路边、高山顶端醒目的地方，并以其土、石颜色或敖包主人的名字命名。

敖包的外形有锥形、塔形两种，一般内蒙东部地区及东北各地的敖包多为圆锥形，西部地区则呈塔形。敖包的堆砌方法是先竖起木三角架，架高二至三米，山区多用自然石块堆砌，平原地区用土垒成，中空，状如竖井，封顶即成。敖包的底层中间立一个木杆至敖包外上空，杆顶

上有木制日月，杆上书写敖包主人的简历和主要事迹。敖包的底层中还放置五金、五谷、五帛、五宝等实物。

祭敖包是蒙古民族生活中的一件大事。祭敖包的历史很悠久。据《汉书·匈奴传》载："岁正月,诸长小会单于庭祠。五月,大会龙城,祭其先、天地、鬼神……"蒙古人祭敖包便是沿古俗而来。每年五月中旬,各苏木,各旗都要举行盛大的祭典活动,有时是几个旗联合举行。届时草原上的人们从四面八方云集而来,参加祭典。祭典中,根据敖包的名字选出一匹骏马(如名乌兰敖包的则选红马),拉到敖包前,当众宣布这匹马为敖包主人的马,给马脖子上拴红绿绸条、哈达等物放生,从此任何人不得役使、出卖,任其自由生活,直到老死。祭典活动要继续两三天,如同过节一般。礼仪结束后,人们用随身携带的木制碗开怀畅饮、品尝食品。其间青年男女往往借此机会相见,登高游玩,互诉衷肠。饭后,举行赛马、射箭、摔跤等传统的体育、军事竞技活动。

康熙佩刀流落溪口

王若民

浙江宁波博物馆藏有一件珍品——康熙大帝战刀。经专家鉴定确认此物为清初宫廷物品，但是否系康熙皇帝所用之物，又何以流落到溪口呢？

经考证，清康熙三十六年(1697)二月，康熙第三次亲率大军征讨噶尔丹，大获全胜，班师凯旋归化城(今呼和浩特市旧城)。时逢崇福寺(小召)落成，主持喇嘛纳依齐托音呼图克图跪奏康熙，乞求赐给出征御用的戎装武器，作为镇寺之宝，供后人瞻仰供奉。康熙欣然应允，就把金龙坐褥一张、金靠背一个、金绣枕两个,以及宝弓一张、腰刀一把、大箭五支、甲胄一副留给该寺。清时,每年正月十五日在寺内陈列展览一次,观者络绎不绝。世称此日为“小召晾甲日”,是当地一大民俗奇观。

日本侵华占领此地后,这些传世珍宝曾被运到日本展览,返国后已残缺不全。抗战胜利后,荣祥任土默特旗总管,遂将所存之物从寺院转到总管府保存。

1946 年 5 月,土默特旗总管、蒙旗宣慰使荣祥率绥远蒙旗抗日代表团赴南京,亲带康熙大帝战刀一把献给国民政府主席蒋介石,表示对抗战胜利的庆贺,同时也要求蒙旗自治权。后来,蒋把此物保存在奉化溪口他的家中。1966 年“文革”初期,这把战刀又从溪口蒋家转至宁波博物馆珍藏。

王同春奉养厅官

李文生

王同春以其毕生精力从事于绥远河套水利农垦的开发,在水利上做出明显业绩,在社会上很有声望,人们誉之为“开渠大王”,甚至把他当作“河神”加以敬奉。随着拓荒垦殖范围的扩大,清末民初,王同春的财富达于极盛,势力雄厚,有“河套王”之称。

在开渠掠地的过程中，各大地主之间，经常明争暗斗，称雄争霸。各自豢养家丁、食客，有善于运筹的谋士，有武艺高强的打手。并屡屡发生械斗，互有杀伤。其中有个名叫陈四的河南人，早在王同春之先就来到河套，亦雄踞一方。两雄争强斗胜，角逐频繁。光绪年间有一次双方械斗后，陈四上告于萨拉齐厅，王同春被捕。萨厅长官抚民同知文钧，在断案时认为，械斗乃是双方互斗，都应负有一定责任，而且河套械斗之事，屡见不鲜，只论罪于王同春一方，未免不公，出于主持公道便把他释放了。而陈四方面并不善罢甘休，屡屡上诉，文钧竟因此事被革去厅官之职。文钧年老无子，即到绥远城只身闲居，也无人与之往来。一天，忽然来了十几人闯进家中，不说青红皂白便将文钧劫持般地架走，他也不明所以，随后才知原来是王同春为了报恩派这些人来接他的。既到王家，王同春双膝跪倒，一再叩拜，说道：“多谢大人明鉴判我无罪之恩，您是我的再生父母，您没有儿子，我就是您的儿子。”从此，果然对文钧孝敬有加，奉养终身。

刘天佑造反

鲁　阳

光绪三十年 (1904)，在内蒙古西部河套地方，由于王同春和另一地主陈四间的争水霸地事件,引起一场农民暴动。暴动的首领名叫刘天佑,人们称为“刘天佑造反”。

刘天佑是陈四的护卫,又是同乡,认为官府有意袒护被告王同春,愤慨不平。为了给陈报仇雪恨,乃纠集结拜弟兄曹占魁、耿大王、二八少爷、塔木尔加等以及农民三十余人举事造反,他们将王同春的“牛椇”〔注〕多处焚烧,并抢走车马钱粮等物。一些平日饱受地主剥削奴役的穷苦农民,乘机加入,暴动队伍迅速扩大,最后竟达五六百人之多,另有车马二百余。他们继续焚烧“牛椇”,攻袭垦务局,缴获大批枪支弹药及马匹钱粮。大小地主纷纷逃往包头避难。归化城清朝官府闻讯急调官兵驰往进剿，暴动农民与官兵首战于五原天吉太桥,又战于东西皮房。每临战斗,刘天佑和他的结拜弟兄头缠白布,赤膊上阵,官兵见势纷纷弃械逃逸。刘天佑声势日大,扬言将攻打包头,上下奋勇迎战。官兵溃败消息传来,包头白昼关闭城门,商民人等恐慌异常。面对日益扩大的农民暴动，归化城兵备道台急

向山西巡抚禀报，山西巡抚会同绥远城将军，调集大同、太原及宁夏总镇步骑官兵数千人，协同驻扎包头的四旗马队以及五原厅巡警兵队共一万余人开赴河套。刘天佑转战于五和公、黄脑楼等地，在大量官兵追剿下，农民伤亡日多，加之连续战斗，疲惫不堪，普遍滋生厌战情绪，最后在大滩被官军重重包围。官军以招抚封官手段迫使刘天佑等归降。刘天佑环顾左右结拜弟兄伤亡大半，起事农民所余无多，瞻念前途茫茫，不得已接受官军招抚。

暴动平息后，官军将刘天佑等三十余人处决于大佘太西门外。内蒙西部地方戏《二人台》有《打后套》一剧，真实地反映了此次暴动经过。

〔注〕牛犋：地主经营管理土地财产的分支机构。

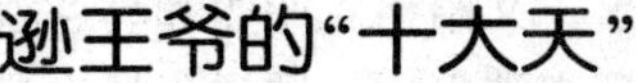

逊王爷的“十大天”

元　斌

民国初年，伊克昭盟副盟长，鄂尔多斯左翼后旗(达拉特旗)的扎萨克逊博尔巴图王爷，得到袁世凯北洋军阀政府的宠遇，封给他一个“郡王”头衔，越发贪婪昏庸，沉溺于淫佚之中。他有满、汉、蒙三个民族的老婆和姘头，犹嫌不足，又从北京妓院娶了个姓蔡的妓女为妾。他在包头、归绥、北京都有豪华的王府，临死前还花三万七千块银洋买过一辆美国汽车。

逊博尔巴图手下的人形形色色，各有所司。有个替王爷赶"红拖呢"轿车的车夫，编了十句题为"十大天"的顺口溜，活龙活现地揭露了王府的内幕："林德山当白官伶俐过天，满达尔当先生赛如青天，朋斯克当总管一手遮天，德力格当'加克尔齐'马面骨朝天，明耀亭住营盘万恶滔天，道布庆森盖住营盘不认老天，娜莫尔桑进王府好比武则天，阿尔宾桑进王府拍啦整天，五十三跑上差没好活一天，杜二宝推碾围磨一推一天。"这"十大天"里边，当白官的林德山，是逊博尔巴图王爷的亲信和军师。此人是牧主向地主官僚转化的一个典型人物，他除了仿照河套大地主的经营方式在树林召附近设立"牛犋"外，还到处充当政客，既替达拉特旗王爷办事，又给伊克昭盟和乌兰察布盟的其他王爷办理交涉事项，绥远当局也通过他来笼络蒙旗王公。所以他从绥远城将军衙门到绥远都统署，再到绥远省政府，一直担任每月领薪一百块银洋的参议，并兼任绥远垦务局月薪一百五十元的帮办。他能随机应变，八面玲珑，不失为"伶俐过天"。"一手遮天"的朋斯克，系王爷的私人管家。"马面骨朝天"的德力格，因为当"加克尔齐"，即管旗章京，旗衙门里的事情全由他一手操办，每天酒醉饭饱之后，总是仰面朝天睡大觉。"万恶滔天"的明耀亭，系成天为非作歹的手枪队长。"不认老天"的道布庆森

盖，是王爷妻弟，狐假虎威，任何人都不在他眼里。“好比武则天”的娜莫尔桑，既是王爷的婶母，又是他的姘头，喜欢要弄权术，老想操纵政事。至于“拍啦整天”的阿尔宾桑，则是树林召的大喇嘛，此人一天到晚阿谀王爷，常用淫词秽语给王爷开心解闷。至于其他几人，满达尔“笔帖式”是个好好先生，五十三是个奴隶，杜二宝是汉族长工。他们像牛马一样在王府里整天劳动受苦。

“塌达赉”的悲剧

涂占江

1927年11月22日，在呼伦贝尔草原上的达赉湖(即呼伦湖)发生一起灾难，人们至今难以忘记。

那天各渔号的业主为了多打鱼，没看冰面是否真正冻实就命渔工凿冰下网了。下午三点多钟，突然刮起了大风，约有十级以上，人在冰面上都站不住。湖西北岸的冰被大风刮裂开了，湖水冲击着岸边。因为当时各渔号的住房都在湖西北方向，渔工们便纷纷向西北岸边拥去。由于毫无组织地乱跑，跑在前面的人踩到冰块边缘的薄冰上时，在后面的人拥挤下，纷纷掉入水中。后面的人一看，也不敢挤了，便在湖面的冰

上站住,不再乱动。

风还在猛烈地刮着，夜幕吞没了一千多名渔工。湖面上毫无遮挡,任凭寒风撕咬着空腹的渔工,毡疙瘩(毡靴)、皮袄冻得和皮肉粘在一起。

次日清晨,岸上的人们找到一条小船,装上馒头、酒、皮袄等给冰上的渔工送去。冰上被困的人们一见船来了,便蜂涌过来。冰块边缘刚刚冻住三四寸厚,经不住人踩,又有二十多人掉进湖里。船上的人一见此景，便把馒头向冰上扔去。饥饿的渔工来抢馒头,又有一些人被挤掉到湖水里。船上的人只好把船划到另一处较结实的冰块附近，让冰上的人不要靠近。他们把馒头、皮袄等用力扔到冰上,人们再小心地把东西取走。

冰上的人们被困了两昼夜。当湖冰再度冻实后,被困的渔工陆续回到各渔号,毡疙瘩已脱不下来了。只好伸到水桶里泡,用人往下拽,很多人的腿和脚都已冻成黑色。冻伤的人被陆续送到满洲里医院动手术截肢。同时各渔号又派人到已冰冻的湖面去找失踪的渔工尸体。当时的景象非常凄惨，湖面上被冻死的渔工有半截身子露在冰面,有的露着一支胳膊,有的只露着脑袋，还有的露着一双脚……人们把他们从冰里刨出来，运到岸边埋葬了。第二年春天冰消后,又将漂上来的尸体葬于岸边。

这次灾难被称为“塌达赉”。共被冻死一百二十六人,冻伤截肢者一百五十四人。

“单听今天这一声！”

韩云琴

1940 年河套地区的“五原战役”以后，这一地区的五原、临河等县出现了稳定局面。可是鸦片源源从沦陷区流入本区，烟毒一时泛滥成灾，屡禁不止。主持绥远军政事务的傅作义将军决定采取严厉措施。从 1941 年到 1945 年，曾有一个阶段，烟犯一经拿获，定案后立即枪决。省会陕坝，顿现紧张。

有一次在枪决烟犯的同一天，陕坝街上出现了一组引人注目的连环画。第一幅是一个骑马贩毒的军人；第二幅是烟犯被扣押的现场情景；第三幅是蓬头垢面的吸毒者躺在灯旁吸烟的形象；第四幅是倾家荡产一家老小的哭诉惨景；最后就是枪决身亡的服刑图。画面冠有醒目的毛笔字标题：

千声万声你不听，
单听今天这一声！

这画的作者是一位卖油条的基督教徒，画就在陕坝最热闹的中山路大转盘附近他的油条摊前展出。展出后围观群众很多，一时成了陕坝市民、干部的谈话资料。《奋斗日报》记者刘映元及时写成通讯见报。此后这两句歌谣，还在五原、临河、安北三县的城镇农村广泛流传。群众视为箴言，父子相诫，夫妻互勉，朋友相劝，效果显著。直到1944年我还亲耳听到这一带农民谈及此事。

“洋人摆手”

闻 斯

黄河流经宁夏，向东北进入绥远河套。此段河流可通航运，常有木船、皮筏往来运输货物，亦搭旅客。过宁夏北端重镇石嘴山后，有段石河，内有“头道坎”、“二道坎”、“三道坎”、“阎王鼻子”、“洋人摆手”等几处险要河段。怪石嶙峋，惊涛奔腾，凡船筏经过这些地方，艄公无不小心翼翼，宁神屏息，谨慎航行。也曾发生过船破人亡货损的事故。其中“洋人摆手”即因一个不幸的故事而得名。

宁夏和绥远，均为天主教传播发展较早地区。民国初年，有一次，一外国传教神甫由宁夏乘皮筏顺流而下，要去河套，途经一段急流险滩，河水咆哮，皮筏颠簸。忽然间，被汹涌水浪猛冲至一平面巨石边，当此之时，神甫深惧筏子被撞翻掉进河里，便一跃跳上巨石，而皮筏则被冲走。神甫只身被困于巨石之上。

其后，每遇有过往船筏，该神甫频频招手呼

救。奈因水流湍急，船筏难于靠近，欲救不能。不久，神甫饿死在这块巨石上。自此，人们遂名该处为“洋人摆手”，相延数十年，已成为固定名称了。

一只破船的教育

张希孟

1947年，我在北京西郊半壁店“华北总部”军官团受训时，听傅作义将军的部下宋海潮师长讲过这样一件事。

傅先生祖居山西荣河县，是以船业起家的大户财主。傅少年时在太原求学，依仗家资富有，一味吃喝玩乐，荒疏学业，其父深以为忧。有一次，父亲摇着一只破船送他去太原，他不解其意，问道：“咱家有那么多的大小新船，怎么偏摇只破船来呢？”父亲叹了口气，语重心长地说：“孩子，这可不是只普通的破船，没有它，哪有咱们的家业呀！当年你老爷爷、你爷爷，正是摇着这只破船谋生计的。风里来，雨里去，忍饥受冻，苦苦挣扎，度过了多少个日日夜夜，才赚下这份家产。可惜后世子孙不懂得创业艰难，只知道挥霍，不知道自强上进。如此下去，早晚要坐吃山空。家资固不足惜，子孙不肖，有何面目去见列祖列宗？世人眼里，还不知怎样轻蔑我们呢！”

傅作义看到父亲脸上的痛苦表情，大受触

动，一路低徊不已。归校后，决心痛改前非，发奋求学，立志成才。后来他考入保定军校第五期，毕业后在军界勇猛精进，步步登高，终于成长为一个有名望的将军和政治家。

成陵的守护者希日达尔哈特

郭永明

"希日达尔哈特"是蒙古民族中一个非常特殊而神圣的部落。它的最初来源，是忽必烈薛禅汗为了守护和祭奠以成吉思汗陵为主的八白室，从四十万青色蒙古各部征调而来的五百户人。"希日"是"黄"、"金"的意思，"达尔哈特"是"神圣"的意思，合起来就是"黄册(忽必烈诏书)所封的神圣家族"。达尔哈特的社会组织自成体系，不同于一般的蒙旗王公制度，也不受它的约束。达尔哈特的最高官员是"济农"，元时为天子的代理主祭官，不管行政。清时多由盟长兼任，才带有行政官员的性质。达尔哈特内部的一切行政事务，均由"牙门德特"管理。"牙门德特"为西东两部，他们除管理行政外，还是八白室的执行祭祀人。

达尔哈特不交赋纳贡，不当兵打仗，可以自由出入蒙古各地，募化祭奉成吉思汗的"牺牲"。募化时，须携带成吉思汗画像一帧、短刀一柄、金牌(皇帝颁发的)一面。每到一地,画像一挂;《伊金商》(圣主颂)一念,香客们便会布施许多牛羊和银钱,这既是将来祭祀的“牺牲”,也是他们的生活来源。

守护和祭奠成吉思汗陵是希日达尔哈特的神圣义务。他们不能掌印做官,没有顶戴花翎。皇帝驾崩也不戴孝,只给成吉思汗一人守常孝,日夜在灵前站岗守护。西部“牙门德特”每夜四人守护,每户十日。东部“牙门德特”则五天一轮流。晚上守护每刻必击钹一次。此外,每户摊派一两白银,共五百两,作为祭祀的开支。圣酒、全羊的制作,祭礼的掌握和祭词的吟诵,也由他们承担。从元代以来,直到现在达尔哈特一直专司守护和祭奠成陵。

后　记

继《新编文史笔记丛书》内蒙古卷上册《穹庐谭故》之后，下册《朔漠前尘》现已编就。两书所记人物、遗事，力求真实客观，史料性与可读性并重，突出民族特点与地区特点，以便读者从各个侧面对本区有进一步的了解。

河北省尚未建立文史研究馆，该省承德、张家口两地区与内蒙历史关系密切，谨承委托，将有关文稿亦编入本书之内。

本书撰稿人，或为本馆馆员、干部，或为社会各界人士，所述多为清末至建国前亲见、亲闻、亲历者，其余亦为有据之言。他们多方搜求，数易其稿，书能付梓，首赖其功。中共内蒙古自治区委员会原书记、自治区原副主席、蒙古族老书法家王再天同志为之题签。于此统致谢忱。编委刁可成、白尚勤等改稿审稿，不顾耄耋之年，编辑主任滑国璋、编辑谢蕴珍、王万金、杜东红、祁美琴、周绍慧、王长民等都参与了本书的编校工作。

由于基础薄弱，水平所限，自知疏漏错误之处不少，深望方家读者匡正。

编　者